# Parlo italiano

*a cura di*

Carmen Lizzadro - Elvira Marinelli - Annalisa Peloso

*Collana a cura di* Maria Cristina Peccianti

*Test per la verifica della conoscenza della lingua italiana, aggiornamento, revisione e curatela del volume*
Maria Cristina Peccianti

*Progetto grafico*
Ilaria Stradiotti

*Impaginazione*
Adriano Nardi

*Redazione*
Alessandra Pelagotti

*Disegni*
Laura Toffaletti

www.giunti.it


Via Bolognese 165 - 50139 Firenze - Italia
Piazza Virgilio 4 - 20123 Milano - Italia
Prima edizione: 2002

Stampato presso Lito Terrazzi srl, stabilimento di Iolo

# INTRODUZIONE

## A CHI È RIVOLTO IL MANUALE

*Questo manuale è rivolto ai cittadini stranieri in Italia, che conoscono la lingua italiana a livello di principianti.*

## QUALE METODO USA

*Parte dall'uso concreto della lingua nelle situazioni e negli ambienti più significativi della vita quotidiana e propone l'apprendimento delle strutture e delle parole fondamentali dell'italiano standard, necessarie a una comunicazione fruizionale.*

## CHE COSA CONTIENE

*Il testo è diviso in dieci unità, relative ad altrettanti temi, riguardanti l'organizzazione della vita quotidiana in Italia.*

*Ogni unità comprende:*

- *un'ampia proposta di parole e frasi, in gran parte illustrate per facilitare la comprensione e la memorizzazione;*
- *numerosi dialoghi situazionali, introdotti da vignette esplicative e ascoltabili sul cd allegato o tramite i file mp3 scaricabili dalla pagina www.giunti.it/Parlo-italiano;*
- *tabelle con strutture grammaticali;*
- *semplici esercizi, per riconoscere, fissare e usare le parole e le strutture linguistiche;*
- *strutture comunicative di uso frequente.*

*Il testo è corredato da un'appendice con le tavole con la coniugazione dei verbi ausiliari, dei verbi regolari e dei principali verbi irregolari e le chiavi per l'autocorrezione degli esercizi.*
*In appendice è proposto inoltre un test, conforme al modello previsto dal Ministero per la verifica della conoscenza della lingua italiana da parte di cittadini stranieri che richiedono il permesso di soggiorno CE di lungo periodo (DL 4 giugno 2010).*
*Il test è uno strumento prezioso sia per verificare le proprie conoscenze sia per esercitarsi per sostenere l'esame.*

# SOMMARIO

# UNITÀ 1: PRESENTARSI

## IO MI CHIAMO...

✔ Io mi chiamo Mariasol e ho quarantasette anni.

✔ Tu sei Albert.

✔ Lui è Juan e viene da Madrid. Lei si chiama Carmen.

✔ Voi venite dal Ghana?

✔ Noi ci chiamiamo Pierre e Marie e siamo marito e moglie.

✔ Loro sono Jamila e Abdullah. Il bambino si chiama Omar.

## SALUTARE

- ✔ Ciao!
- ✔ Buongiorno!
- ✔ Buona giornata!
- ✔ Buonasera!
- ✔ Buona serata!
- ✔ Buonanotte!
- ✔ Salve!
- ✔ Ciao, ci vediamo!
- ✔ Arrivederci a presto!
- ✔ Arrivederci.

## IL PASSAPORTO

### *Si dice*

- ✔ Avere il passaporto valido.
- ✔ Avere il passaporto scaduto.
- ✔ Fare richiesta di passaporto.
- ✔ Rinnovare il passaporto.

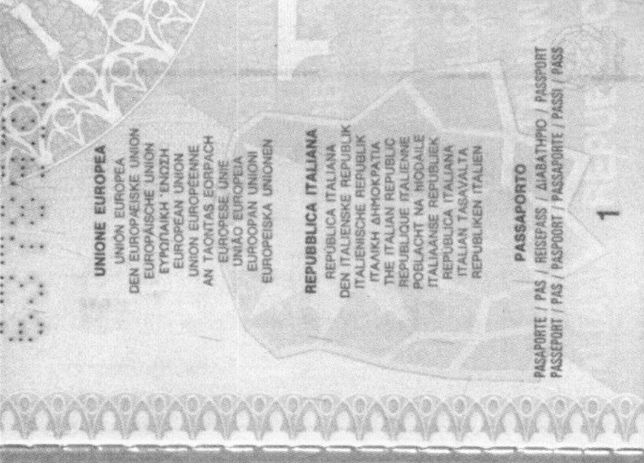

*cognome*

*nome*

*cittadinanza*

*data di nascita*

*luogo di nascita*

## INCONTRARSI

### DIALOGO N. 1

▲ Buongiorno, come si chiama?
▼ Mi chiamo Mariasol Fernandez.
▲ Da dove viene?
▼ Sono argentina.
Vengo da Buenos Aires.
▲ Da quanto tempo è in Italia?
▼ Sono in Italia da quindici anni.

### DIALOGO N. 2

▲ Qual è il suo nome?
▼ Il mio nome è Mariasol.
▲ E il cognome?
▼ Fernandez.
▲ Quando è nata?
▼ Sono nata il 16 agosto 1956.
Ho quarantasette anni.

 1 - COMPLETA

| NOME | COGNOME | DATA DI NASCITA | CITTADINANZA |
|---|---|---|---|
| *Mariasol* | | | |

| INDICATIVO PRESENTE | | | | | |
|---|---|---|---|---|---|
| ESSERE | | | AVERE | | |
| io | sono | qui | io | ho | un buon lavoro |
| tu | sei | Marco | tu | hai | fretta |
| lui/lei | è | in casa | lui/lei | ha | sete |
| noi | siamo | stanchi | noi | abbiamo | due figli |
| voi | siete | francesi | voi | avete | una bella casa |
| loro | sono | marito e moglie | loro | hanno | la macchina |

### ☺ DIALOGO N. 3

▲ Ciao, come ti chiami?
▼ Mariasol.
▲ Bel nome! Quanti anni hai?
▼ Quarantasette.
▲ E dove abiti?
▼ Abito a Verona, in via Colombo.

### ☺ DIALOGO N. 4

▲ Sei sposata?
▼ Sì, da quindici anni.
▲ Hai figli?
▼ Sì, due: un maschio e una femmina.
▲ Che lavoro fai?
▼ Faccio la cuoca in un ristorante.

### ✎ 2 - COMPLETA

| RESIDENZA | SESSO | N° FIGLI | LAVORO |
|---|---|---|---|
| *Verona, via Colombo* | *F (femminile)* | | |

| INDICATIVO PRESENTE | | | | | |
|---|---|---|---|---|---|
| CHIAMARSI | | | VENIRE | | |
| io | mi chiamo | Ahmed | io | vengo | da Roma |
| tu | ti chiami | Maria? | tu | vieni | in treno |
| lui/lei | si chiama | Guo Shuang | lui/lei | viene | domani |
| noi | ci chiamiamo | Ada e Ivo | noi | veniamo | da te |
| voi | vi chiamate | Ugo e Lia? | voi | venite | a casa |
| loro | si chiamano | Ivonne e Lise | loro | vengono | con te |

# LA NAZIONALITÀ

| PROVENIENZA / LUOGO DI NASCITA | NAZIONALITÀ |
|---|---|
| Italia | italiano/a |
| Inghilterra | inglese |
| Francia | francese |
| Spagna | spagnolo/a |
| Albania | albanese |
| Romania | rumeno/a |
| Marocco | marocchino/a |
| Senegal | senegalese |
| Tunisia | tunisino/a |
| Cina | cinese |
| India | indiano/a |
| Brasile | brasiliano/a |
| Argentina | argentino/a |
| Kosovo | kosovaro/a |
| Croazia | croato/a |
| Sri Lanka | singalese/cingalese |

*Attenzione*

| | SINGOLARE | PLURALE |
|---|---|---|
| MASCHILE | Pietro è italian**o**<br>Moar è singales**e** | Pietro e Luca sono italian**i**<br>Moar e Bai sono singales**i** |
| FEMMINILE | Anna è italian**a**<br>Diye è senegales**e** | Anna e Maria sono italian**e**<br>Diye e Fatima sono senegales**i** |

## 3 - COMPLETA

1 - Vengo dal Marocco. ➔ *Sono marocchino/a.*
2 - Veniamo dall'India. ➔ Siamo ..........................................
3 - Maria viene dal Brasile. ➔ È..............................................
4 - Tu vieni dal Kosovo. ➔ Sei ............................................
5 - Chang viene dalla Cina. ➔ È ..............................................
6 - Juan viene dall'Argentina. ➔ È ..............................................
7 - Venite dall'Albania. ➔ Siete ..........................................

# LA CARTA D'IDENTITÀ

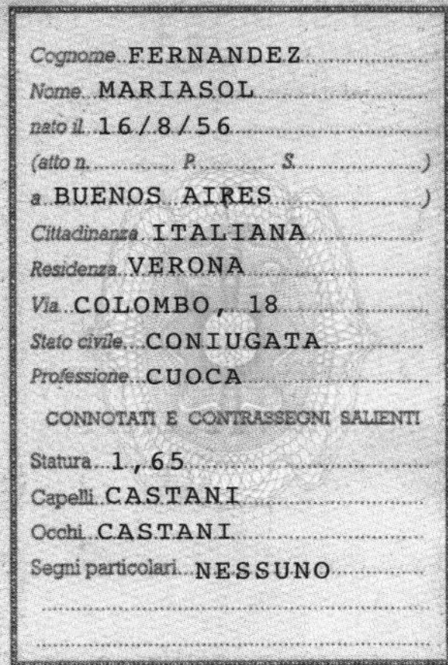

Cognome FERNANDEZ
Nome MARIASOL
nato il 16/8/56
(atto n. ........ P. ........ S. ........)
a BUENOS AIRES ........)
Cittadinanza ITALIANA
Residenza VERONA
Via COLOMBO, 18
Stato civile CONIUGATA
Professione CUOCA
CONNOTATI E CONTRASSEGNI SALIENTI
Statura 1,65
Capelli CASTANI
Occhi CASTANI
Segni particolari NESSUNO

| FORME INTERROGATIVE | |
|---|---|
| CHE, CHI, DOVE, QUANDO, QUANTO | |
| **Come** ti chiami? | **Che** lavoro fai? |
| **Quando** è nata Mariasol Fernandez? | **Quanti** figli hai? |
| **Dove** abitano Maria e Luisa? | **Quanto** sei alto/a? |
| Da **dove** venite? | **Chi** viene stasera? |

## 4 - RISPONDI

1 - Come ti chiami? ..............................

2 - Quando sei nato/a? ..............................

3 - Quanti anni hai? ..............................

4 - Da dove vieni? ..............................

5 - Quando sei arrivato in Italia? ..............................

6 - Dove abiti? ..............................

7 - Che lavoro fai? ..............................

# L'ASPETTO FISICO

## Gli occhi

**Ho gli occhi** ——
azzurri
castani
neri
verdi

grandi
piccoli
a mandorla

## I capelli

**Ho i capelli** ——
biondi
neri
castani
rossi

lunghi
corti
lisci
ricci
mossi

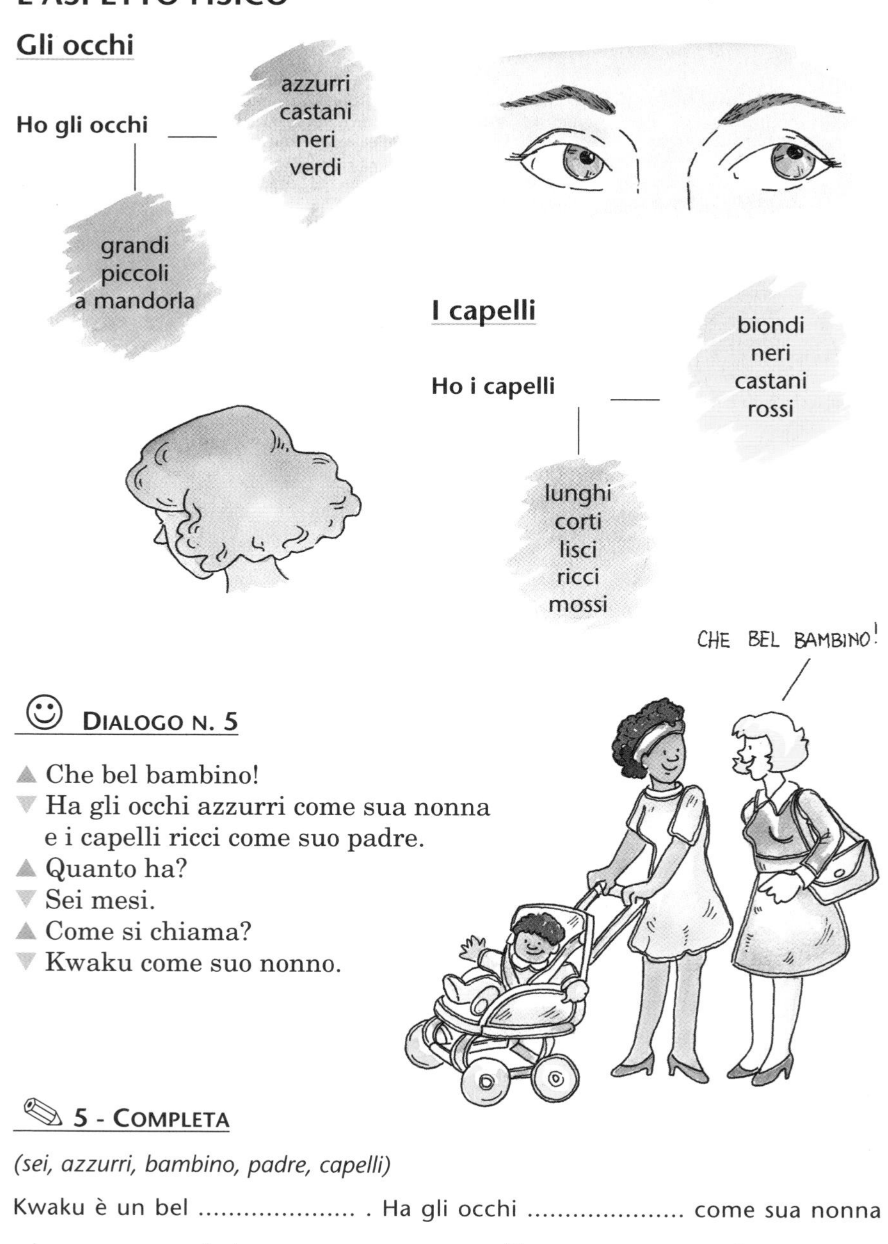


### ☺ DIALOGO N. 5

▲ Che bel bambino!
▼ Ha gli occhi azzurri come sua nonna e i capelli ricci come suo padre.
▲ Quanto ha?
▼ Sei mesi.
▲ Come si chiama?
▼ Kwaku come suo nonno.

### ✎ 5 - COMPLETA

*(sei, azzurri, bambino, padre, capelli)*

Kwaku è un bel .................... . Ha gli occhi .................... come sua nonna e i .................... ricci come suo .................... Ha .................... mesi.

## La corporatura e il peso

✔ Pierre è grasso: pesa ottanta chili.
✔ Susanne è magra: pesa cinquanta chili.

## La statura

✔ Sono alto un metro e settanta (1,70).
✔ La mia statura è di un metro e settanta centimetri.

## Il colore della pelle

✔ Ahmed è di pelle scura.
✔ Davor ha la pelle chiara.

## ☺ Dialogo n. 6

▲ Come sei grassa!
▼ È vero, per la mia statura peso troppo.
▲ Quanto sei alta?
▼ Un metro e sessanta.
▲ E quanto pesi?
▼ Settanta chili e tu invece?
▲ Io sono a dieta e peso solo cinquantacinque chili.

##  6 - Collega

| | |
|---|---|
| 1 - Ho i capelli lisci. | a - È basso di statura. |
| 2 - È alto di statura. | b - Io sono grasso. |
| 3 - Ha la pelle chiara. | c - Ho i capelli ricci. |
| 4 - Io sono magro. | d - Ha la pelle scura. |
| 5 - Porto i capelli lunghi. | e - Ho gli occhi piccoli. |
| 6 - Ho gli occhi grandi. | f - Porto i capelli corti. |

## LA FAMIGLIA

### 7 - COMPLETA

*(tre, fratelli, Elena, Luca, Maria, Riccardo, Stefania, ha)*

Paolo ha .......... figli: Luca, ................. e ................. .

Riccardo ed ................. hanno due figli : Carlo e ................. .

Maria ................. due ..................... : ................. e Riccardo.

# I NOMI DI PARENTELA

Giulio è il **padre** di Filippo e Anna.

| MASCHILE | FEMMINILE |
|---|---|
| padre | madre |
| marito | moglie |
| fratello | sorella |
| genero | nuora |

Paolo è il **marito** di Francesca.

Stefania è la **sorella** di Carlo.

Luca è il **figlio** di Paolo e Francesca.

Maria è la **moglie** di Giulio.

Paolo e Francesca sono i **nonni** di Filippo

Luca è il **fratello** di Riccardo.

Anna è la **nipote** di Paolo e Francesca.

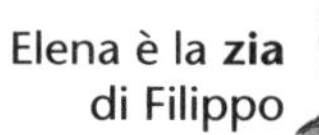

Elena è la **zia** di Filippo

Stefania e Carlo sono i **nipoti** di Luca.

Filippo e Anna sono i **cugini** di Stefania e Carlo.

Paolo e Francesca sono i **suoceri** di Elena

Elena e Maria sono **cognate**.

Giulio è il **genero** di Paolo e Francesca.

Elena è la **nuora** di Paolo e Francesca

Elena è la **madre** di Stefania e Carlo.

| Possessivi | | | |
|---|---|---|---|
| **Singolare** | | **Plurale** | |
| **Maschile** | **Femminile** | **Maschile** | **Femminile** |
| mio | mia | miei | mie |
| tuo | tua | tuoi | tue |
| suo | sua | suoi | sue |
| nostro | nostra | nostri | nostre |
| vostro | vostra | vostri | vostre |
| loro | loro | loro | loro |

*Attenzione*

| | | | |
|---|---|---|---|
| **il** mio bambino | **i** miei bambini | mio figlio | **i** miei figli |
| **il** tuo lavoro | **i** tuoi lavori | tuo fratello | **i** tuoi fratelli |
| **la** nostra casa | **le** nostre case | sua zia | **le** sue zie |
| **la** sua insegnante | **le** sue insegnanti | nostra madre | **le** nostre madri |
| **il** vostro cane | **i** vostri cani | vostra cugina | **le** vostre cugine |
| **il** loro paese | **i** loro paesi | **la** loro moglie | **le** loro mogli |

## 8 - COMPLETA

*(tuo, suoi, suo, loro, mio, sua, mia)*

1 - Questo è Luca. Paolo e Francesca sono i .............. genitori.
2 - Stefania va al cinema con .............. fratello Carlo.
3 - Maria: «Giulio è .............. marito».
4 - Riccardo e Elena hanno una figlia. La .............. figlia si chiama Stefania.
5 - «Paolo, è in casa .............. figlio Luca?»
6 - Francesca: «.............. figlia si chiama Maria».
7 - Anna gioca spesso con .............. cugina Stefania.

## 9 - CAMBIA

*Cambia da singolare a plurale. Segui l'esempio.*

1 - Il mio libro ➔ *I miei libri*
2 - Tuo fratello ➔ ............................
3 - Sua figlia ➔ ............................
4 - Nostro zio ➔ ............................
5 - Il loro insegnante ➔ ............................

# I NUMERI FINO A 99

| | | | |
|---|---|---|---|
| 0 zero | 10 dieci | 20 venti | 30 trenta |
| 1 uno | 11 undici | 21 ventuno | 40 quaranta |
| 2 due | 12 dodici | 22 ventidue | 50 cinquanta |
| 3 tre | 13 tredici | 23 ventitré | 60 sessanta |
| 4 quattro | 14 quattordici | 24 ventiquattro | 70 settanta |
| 5 cinque | 15 quindici | 25 venticinque | 80 ottanta |
| 6 sei | 16 sedici | 26 ventisei | 90 novanta |
| 7 sette | 17 diciassette | 27 ventisette | 91 novantuno |
| 8 otto | 18 diciotto | 28 ventotto | .................. |
| 9 nove | 19 diciannove | 29 ventinove | 99 novantanove |

## 10 - TRASFORMA

| In lettere | | In cifre | In lettere | | In cifre |
|---|---|---|---|---|---|
| *a* - *Quarantuno* | ➔ | *41* | *g* - Quindici | ➔ | .................. |
| *b* - .................. | ➔ | 25 | *h* - .................. | ➔ | 12 |
| *c* - .................. | ➔ | 18 | *i* - .................. | ➔ | 88 |
| *d* - Trentatré | ➔ | .................. | *l* - Novantuno | ➔ | .................. |
| *e* - Cinquantotto | ➔ | .................. | *m* - .................. | ➔ | 48 |
| *f* - .................. | ➔ | 23 | *n* - .................. | ➔ | 16 |

# I NUMERI NELL'USO

✔ Sono nato il 2 agosto 1968.
✔ Sono nato il 2-8-1968.

✔ Oggi è il 14 aprile 2013.
✔ Oggi è il 14-4-2013.

✔ Abito in via Roma al n. 42.

✔ Mario Bianchi
piazza Rossini, 13 - 37125 Verona

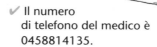

✔ Prendo l'autobus
n. 22.

✔ Il numero
di telefono del medico è
0458814135.

✔ Porto
la taglia 50.

✔ Il numero del mio cellulare
è 336784512.

✔ Il mio numero
di scarpe è il 38.

# UNITÀ 2: IL LAVORO

## GLI AMBIENTI DI LAVORO

### Il cantiere

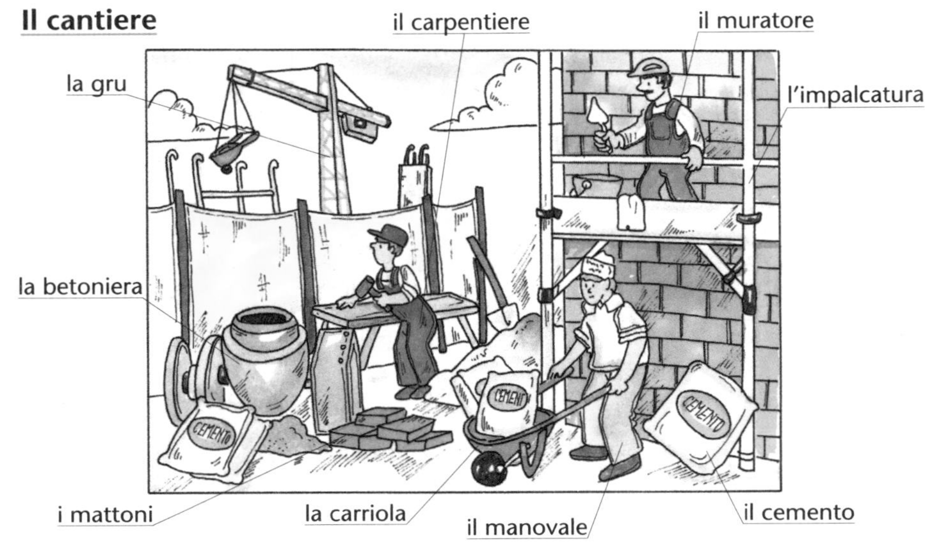


### La fabbrica

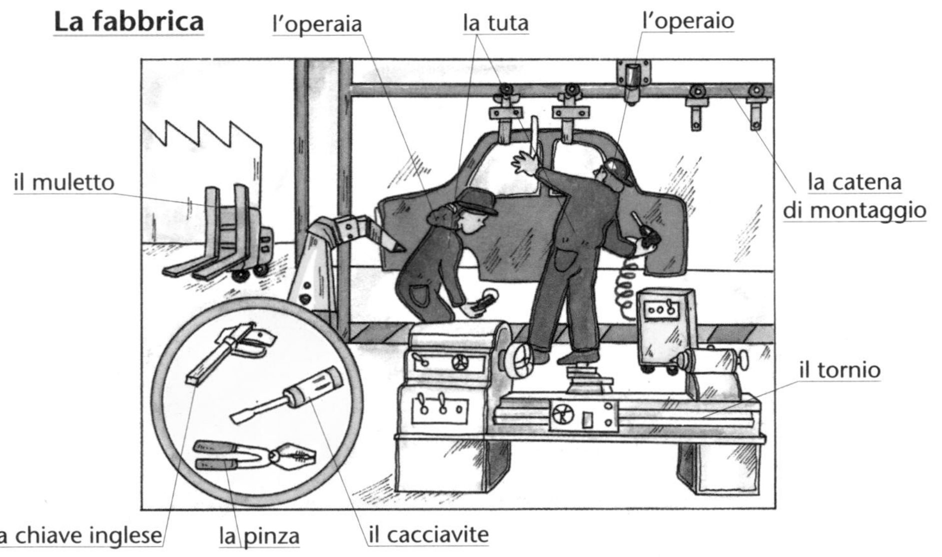

## Il ristorante

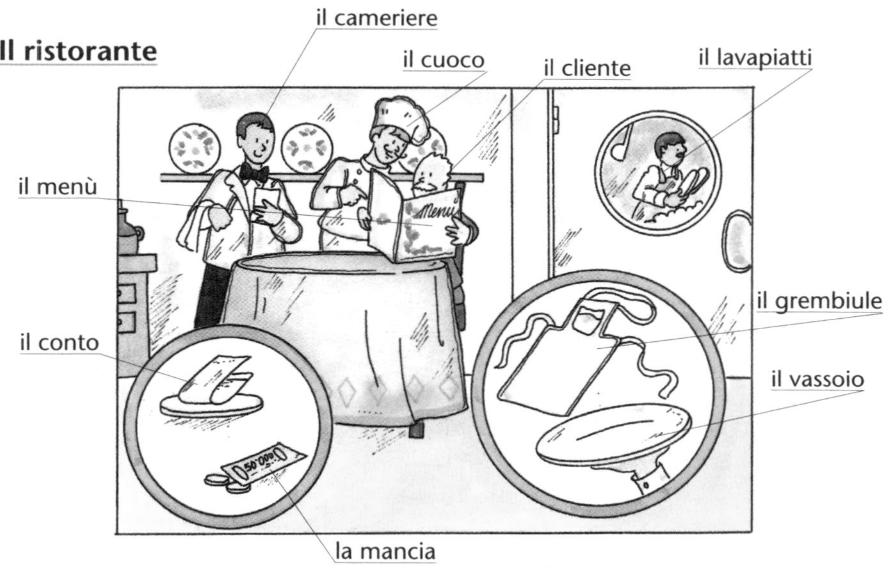


## L'ufficio

# TIPI DI LAVORO

## DIALOGO N. 1

▲ Che lavoro fai?
▼ Faccio il muratore.
▲ E tuo fratello che lavoro fa?
▼ Lui fa il cuoco.

il cuoco

il muratore

## DIALOGO N. 2

▲ Dove lavorano Fatima e Nourredine?
▼ Fatima lavora in un bar. Fa la cameriera.
Nourredine non lavora.
▲ E tu cosa fai?
▼ Io faccio l'operaio e ho il turno di notte.

il barista

l'elettricista

la sarta

la parrucchiera

la commessa

la colf
la donna di servizio

| INDICATIVO PRESENTE - FARE | | |
|---|---|---|
| io | faccio | il muratore |
| tu | fai | tardi |
| lui/lei | fa | il turno di notte |
| noi | facciamo | un viaggio |
| voi | fate | il biglietto |
| loro | fanno | la spesa |

## 1 - COMPLETA

*(muratore, sono, lavoro, mi chiamo, cantiere, vengo)*

«Buongiorno. Come si chiama? Che lavoro fa? Dove lavora?»

«Buongiorno. ............... Moshin Zulfikar. Faccio il ........................ e ........................ a Modena in un ........................»

«Da dove viene? È qui con la sua famiglia?»

«................ dall'India e ........................ in Italia con mia moglie e i miei due figli.»

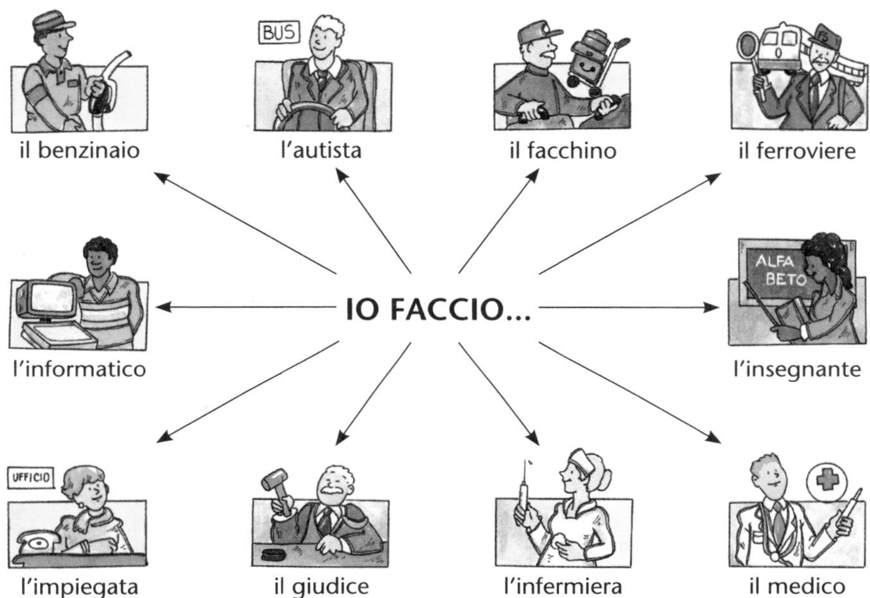


## ☺ Dialogo n. 3

▲ Sei un'impiegata?
▼ No. Faccio la commessa in un negozio di abbigliamento.
▲ Dove lavori?
▼ Lavoro in centro, in via Mazzini, da Tarmani.
▲ Anche mia sorella lavora lì.
▼ Davvero? Come si chiama?
▲ Lucia. Lucia Giacometti. La conosci?
▼ Sì, certo. È molto simpatica.

**E** - in un negozio di parrucchiere

**B** - in un negozio di abbigliamento

**C** - *in un ospedale*

## 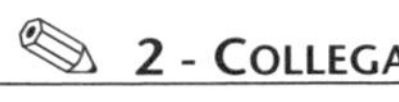 2 - Collega

**Dove lavorano?**

1 - Il medico ☐
2 - Il muratore ☐
3 - La parrucchiera ☐
4 - Il ferroviere ☐
5 - La commessa ☐
6 - Il contadino ☐

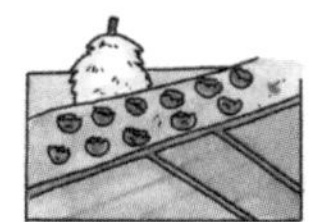

**F** - in campagna

**D** - in un cantiere

**A** - su un treno

# IL CALENDARIO

## I giorni della settimana

lunedì
martedì
mercoledì
giovedì
venerdì
sabato
domenica

**Si dice**

- ✔ **Lunedì, martedì, mercoledì** lavoro tutto il giorno.
- ✔ **Giovedì** lavoro solo la mattina, dalle 8 alle 13.
- ✔ **Venerdì** faccio il turno di notte.
- ✔ **Sabato** lavoro il pomeriggio, dalle 14 alle 19.
- ✔ **Domenica** è festa!

## I mesi

| | |
|---|---|
| gennaio | luglio |
| febbraio | agosto |
| marzo | settembre |
| aprile | ottobre |
| maggio | novembre |
| giugno | dicembre |

**Si dice**

- ✔ Lavoro in ospedale da **gennaio**.
- ✔ Faccio le ferie in **giugno**.
- ✔ A **marzo** inizio un nuovo lavoro.
- ✔ Il ristorante chiude nel mese di **novembre**.
- ✔ In **agosto** il negozio è aperto fino alle 13.

## Le stagioni

la primavera

l'estate

l'autunno

l'inverno

**Si dice**

- ✔ In **autunno** andiamo in Marocco.
- ✔ La scuola comincia alla fine dell'**estate**.
- ✔ L'**inverno** prossimo vado a sciare.
- ✔ Nelle domeniche di **primavera** faccio lunghe passeggiate.

## L'anno

## Il secolo

**Si dice**

- ✔ È iniziato l'**anno** 2013.
- ✔ Il 1999 è stato l'ultimo **anno** del ventesimo **secolo**.
- ✔ Quest'**anno** faccio una vacanza al mare.
- ✔ L'**anno** scorso sono partito da Lima.
- ✔ L'**anno** prossimo compio vent'anni.

## ☺ Dialogo n. 4

▲ Che giorno è oggi?
▼ È il 15 aprile.
▲ Sì, ma che giorno della settimana?
▼ È giovedì.
▲ E giovedì prossimo che giorno è?
▼ È il 22 aprile.

## Il giorno

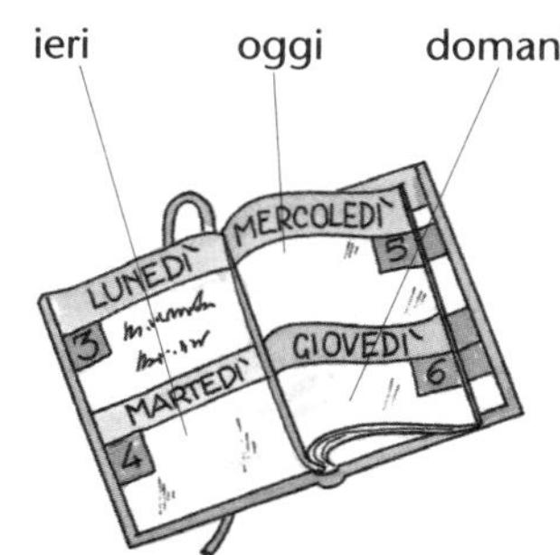


## Le parti del giorno

la mattina

il pomeriggio

la sera

la notte

## I giorni e il lavoro

i giorni lavorativi

i giorni festivi

i giorni di ferie
le vacanze

## ✎ 3 - Ordina e riscrivi

| | |
|---|---|
| 1 - le faccio nel ferie agosto di mese. | *Faccio le ferie nel mese di agosto.* |
| 2 - dalle lavoro ogni otto giorno sedici alle. | ................................................ |
| 3 - la l' è mia autunno preferita stagione. | ................................................ |
| 4 - in vado in a primavera lavorare bicicletta. | ................................................ |
| 5 - Milano molto a inverno l' freddo è. | ................................................ |

## PARLARE DI LAVORO

 **DIALOGO N. 5**

▲ Lunedì vengo al lavoro più tardi.
▼ Perché, Paul?
▲ Perché domenica viene mia madre dalla Francia e faccio una grande festa.
▼ Come si chiama tua madre?
▲ Si chiama Claude.
▼ E cosa fa in Francia?
▲ La casalinga.

**DIALOGO N. 6**

▲ Domani non vengo al lavoro. Torno giovedì prossimo.
▼ Perché, signor Cordioli? Va via?
▲ No, è il giorno libero di mia moglie e arrivano i nostri amici dalla Romania.
▼ Sono qui in vacanza o per lavoro?
▲ Sono in Italia in ferie per tutto il mese di luglio.
▼ Che lavoro fanno?
▲ Sono impiegati tutti e due.

**4 - SCEGLI**

1 - Quando viene la madre di Paul?
a - Più tardi.
b - *Domenica.*
c - Lunedì.

2 - Quando torna al lavoro il signor Cordioli?
a - Giovedì prossimo.
b - Tra una settimana.
c - Domani.

3 - Domani la moglie del signor Cordioli lavora?
a - Sì.
b - No.

4 - Quando arrivano gli amici del signor Cordioli?
a - Domani.
b - Nel mese di luglio.
c - Oggi.

## ☺ Dialogo n. 7

▲ Oggi non faccio niente. Sono in ferie.
▼ Ma non fai nemmeno la spesa?
▲ Perché non la fai tu?
▼ Io lavoro! Non ho tempo.
▲ Non fai mai niente quando sei a casa.
▼ Non è vero! Io lavoro molto a casa e in ufficio.

JOHN NON ARRIVA MAI PUNTUALE...

## ☺ Dialogo n. 8

▲ John non arriva mai puntuale al lavoro.
▼ Sì, ma viene da lontano.
Viene con il treno.
▲ Non è vero! Ha l'automobile.
▼ Allora non dice la verità.
▲ Io invece non sono mai in ritardo.
▼ Nemmeno io.

**La frase negativa**

| | | | | |
|---|---|---|---|---|
| io | **non** | sono | **mai** | in ritardo |
| tu | **non** | fai | **neppure** | la spesa |
| lui/lei | **non** | dice | | la verità |
| noi | **non** | abbiamo | **nemmeno** | un po' di soldi |
| voi | **non** | potete | **neanche** | lavorare |
| loro | **non** | lavorano | | da soli |

## ✎ 5 - Trasforma

1 - Io lavoro. ➔ *Io non lavoro.*
2 - Zara telefona. ➔ ..............................................
3 - Oggi piove. ➔ ..............................................
4 - Io posso riposare. ➔ *Io non posso neanche riposare.*
5 - Zara vuole telefonare. ➔ ..............................................
6 - Lin Pu deve parlare. ➔ ..............................................
7 - Tu hai tempo. ➔ *Tu non hai mai tempo.*
8 - Franz è puntuale. ➔ ..............................................
9 - Ahmed porta l'orologio. ➔ ..............................................

## CERCARE LAVORO

### ☺ DIALOGO N. 9

VIENI CON ME ALL' UFFICIO DI COLLOCAMENTO?

▲ Vieni con me all'Ufficio di Collocamento?
▼ No, non posso. Devo andare al lavoro proprio adesso.
▲ Mi accompagni domani?
▼ Non puoi andare da solo?
▲ Non voglio andare da solo. Mi devi aiutare a compilare i moduli.
▼ Va bene, vengo domani. Ma devi imparare!

SONO QUI PER UN LAVORO...
UFFICIO DI COLL

### ☺ DIALOGO N. 10

▲ Buonasera. Sono qui per un lavoro.
▼ Ha una qualifica?
▲ Sì. Sono un saldatore specializzato.
▼ Bene, posso assumerla con i nuovi contratti sindacali.
▲ Quando devo venire?
▼ Lunedì prossimo, alle otto. Mi raccomando la puntualità.

| INDICATIVO PRESENTE - VERBI SERVILI | | |
|---|---|---|
| | **VOLERE** | |
| io | **voglio** | lavorare in Italia |
| tu | **vuoi** | studiare |
| lui/lei | **vuole** | andare allo stadio |
| noi | **vogliamo** | imparare l'italiano |
| voi | **volete** | bere un caffè |
| loro | **vogliono** | fare una passeggiata |
| | **POTERE** | |
| io | **posso** | fermarmi da te |
| tu | **puoi** | telefonarmi domani |
| lui/lei | **può** | parlare italiano |
| noi | **possiamo** | uscire con voi |
| voi | **potete** | prendere l'aereo |
| loro | **possono** | stare tranquilli |
| | **DOVERE** | |
| io | **devo** | pagare le tasse |
| tu | **devi** | avere pazienza |
| lui/lei | **deve** | aspettare il suo turno |
| noi | **dobbiamo** | affrettarci |
| voi | **dovete** | comprare una casa |
| loro | **devono** | andare dal medico |

## ☺ Dialogo n. 11

▲ Buongiorno. Cosa desidera?
▼ Lei cerca un impiegato, vero?
▲ Sì, è vero. Lei vuole fare questo lavoro?
▼ Sì. Ho il diploma di ragioniere.
▲ Ha esperienza in questo campo?
▼ No, ma ho molta buona volontà.

LEI CERCA UN IMPIEGATO...
UFFICIO

DEVI FARE IL LIBRETTO DI LAVORO?

## ☺ Dialogo n. 12

▲ Ciao, Adam. Devi fare il libretto di lavoro?
▼ Sì. Dalla settimana prossima lavoro al bar di via Mameli.
▲ Davvero? Com'è lo stipendio?
▼ Buono. Ma devo fare i turni: una settimana di mattina e una settimana di pomeriggio.
▲ Auguri allora, e buona fortuna!
▼ Anche a te.

## 6 - Coniuga

1 - Domani (io, potere) *posso* pagare l'affitto.
2 - Giacomo non (volere) .................... studiare le lingue.
3 - Joyce non (dovere) .................... preoccuparsi per l'esame.
4 - Noi (volere) .................... venire a casa tua.
5 - Se (tu, potere) .................... mi fai un piacere?
6 - Non (voi, potere) .................... fumare qui!

## 7 - Scegli

**1 - Cosa fai domani?**

a - Voglio andare al cinema.
b - Mi chiamo Alì.
c - Vengo dall'Egitto.

**2 - Oggi sei libero?**

a - Non voglio il caffè.
b - Ho ventitré anni.
c - No, devo lavorare tutto il giorno.

**3 - Dove ci incontriamo?**

a - Ho tre sorelle.
b - Puoi venire a casa mia.
c - Puoi venire in agosto.

| INDICATIVO PRESENTE | | |
|---|---|---|
| 1ª coniugazione **LAVOR-ARE** | | |
| io | lavor-**o** | volentieri |
| tu | lavor-**i** | tutta la settimana |
| lui/lei | lavor-**a** | anche il sabato |
| noi | lavor-**iamo** | in inverno |
| voi | lavor-**ate** | troppo |
| loro | lavor-**ano** | poco |
| 2ª coniugazione **PERD-ERE** | | |
| io | perd-**o** | il posto di lavoro |
| tu | perd-**i** | il treno |
| lui/lei | perd-**e** | tempo inutilmente |
| noi | perd-**iamo** | la scommessa |
| voi | perd-**ete** | i documenti |
| loro | perd-**ono** | la testa |
| 3ª coniugazione **PART-IRE** | | |
| io | part-**o** | l'estate prossima |
| tu | part-**i** | con il treno |
| lui/lei | part-**e** | per le ferie |
| noi | part-**iamo** | tutti insieme |
| voi | part-**ite** | in agosto |
| loro | part-**ono** | per Milano |

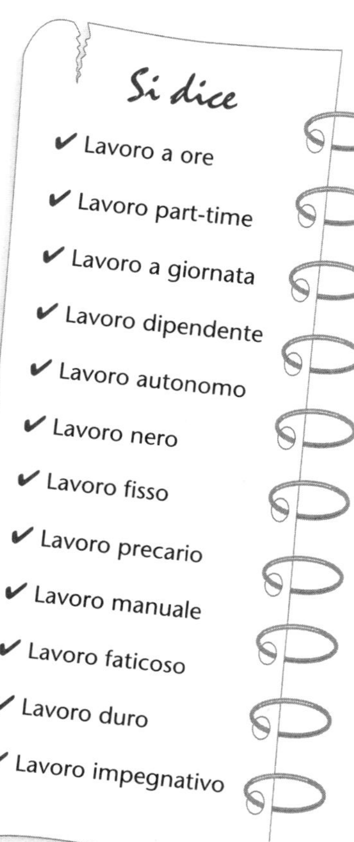


##  8 - CONIUGA

Hafid (cercare) *cerca* lavoro. In estate (lavorare) ............................ come cameriere in una pizzeria. Hafid (avere) .............. venticinque anni ed (essere) .............. un cameriere molto bravo. (Essere) .............. sempre puntuale, veloce e gentile con i clienti. Quest'anno però la pizzeria (essere) .............. chiusa perché il proprietario (dovere) .............. ristrutturare il locale. Hafid (chiedere) ...................... aiuto all'amico Omar.

Hafid: «Omar, dove (io, potere) ................... trovare lavoro come cameriere?».

Omar: «(io, potere) .............. presentarti al signor Fedelini. Lui (essere) .............. il proprietario di un bar. Forse lui (potere) ............................ assumerti».

Hafid: «Grazie. (tu, essere) .............. un vero amico!».

# IL LAVORO IN REGOLA

## 9 - Completa

*(straordinari, stipendio, busta paga, oggi)*

............... è un bel giorno per Paul. Ritira la sua prima .............. .............. . Lo .......................... non è alto, ma questo mese ci sono più soldi perché Paul ha fatto molti ............................».

## 10 - Vero o falso?

«Ciao, Frank. Come va? Sei stanco?»
«No, non sono stanco. Questo non è un lavoro faticoso. Non faccio i turni e smetto di lavorare ogni giorno alle cinque del pomeriggio. Ho un contratto regolare e quindi i contributi per la pensione, le ferie pagate e la tredicesima».

| | | |
|---|---|---|
| 1 - Frank fa un lavoro faticoso. | V | F |
| 2 - Quando va in ferie non è pagato. | V | F |
| 3 - Ha i contributi per la pensione. | V | F |
| 4 - Frank si lamenta. | V | F |
| 5 - Il contratto di Frank è regolare. | V | F |

# UNITÀ 3: LA SALUTE

## IL SERVIZIO SANITARIO IN ITALIA

le medicine

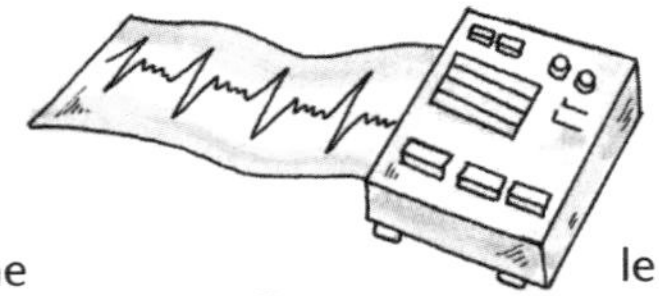

le analisi

il pediatra

il medico di base

la ricetta

il ricovero in ospedale

PRONTO SOCCORSO

il pronto soccorso

le visite specialistiche

l'ambulanza

la guardia medica
(dalle ore 20 alle ore 8,
sabato e giorni festivi)

il consultorio familiare

# PRENOTARE UNA VISITA

## DIALOGO N. 1

▲ Buongiorno.
▼ Buongiorno. Prego?
▲ Ho prenotato una visita oculistica per il 20 maggio, ma quel giorno ho un impegno. Posso spostare l'appuntamento?
▼ Vediamo... ha telefonato ieri per prenotare?
▲ Sì, ha telefonato una mia amica.
▼ Purtroppo c'è un posto disponibile solo tra un mese, il 15 giugno.
▲ Prima non è possibile?
▼ Mi dispiace, ma fino al 15 giugno è tutto occupato.
▲ Allora faccio il possibile per venire il 20 maggio. Quali documenti servono?
▼ Il libretto sanitario e la prescrizione del suo medico di base.

## 1 - VERO O FALSO?

| | | |
|---|---|---|
| 1 - La signora ha prenotato una visita ortopedica. | V | F |
| 2 - La signora ha un impegno il 20 maggio. | V | F |
| 3 - La signora telefona per spostare l'appuntamento. | V | F |
| 4 - Purtroppo c'è posto solo tra una settimana. | V | F |
| 5 - Fino al 15 giugno è tutto occupato. | V | F |
| 6 - Non serve la prescrizione del medico. | V | F |
| 7 - Serve il libretto sanitario. | V | F |

| INDICATIVO PASSATO PROSSIMO (PRESENTE DI *AVERE* + PARTICIPIO PASSATO) | | | | |
|---|---|---|---|---|
| 1ª coniugazione TELEFON-**ARE** | io<br>tu | ho<br>hai | telefon-**ato**<br>telefon-**ato** | al medico<br>all'ASL |
| 2ª coniugazione RICEV-**ERE** | lui/lei<br>noi | ha<br>abbiamo | ricev-**uto**<br>ricev-**uto** | un premio<br>una lettera |
| 3ª coniugazione FIN-**IRE** | voi<br>loro | avete<br>hanno | fin-**ito**<br>fin-**ito** | le medicine<br>la terapia |

# LE PARTI DEL CORPO

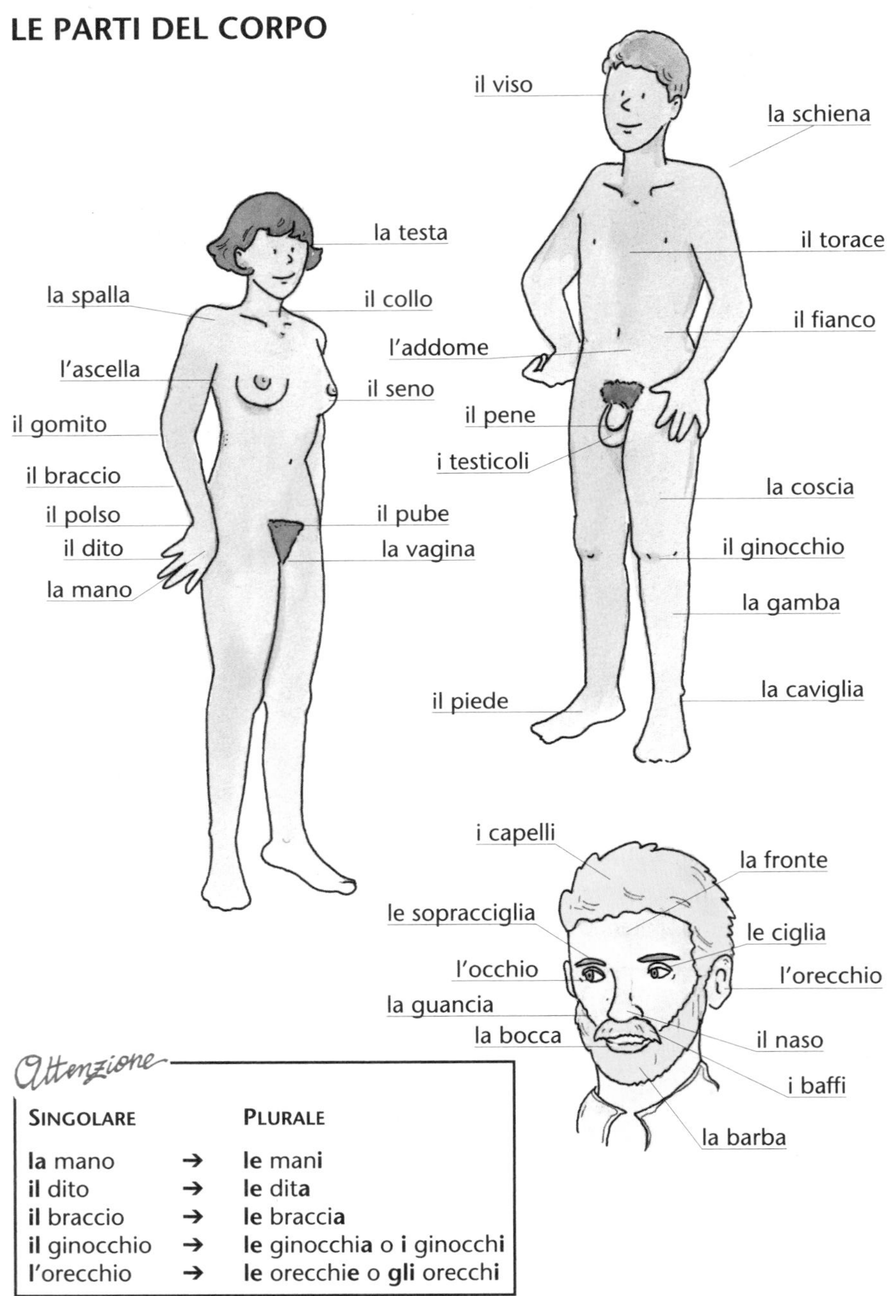


Attenzione

| SINGOLARE | | PLURALE |
|---|---|---|
| **la** mano | → | **le** mani |
| **il** dito | → | **le** dit**a** |
| **il** braccio | → | **le** bracci**a** |
| **il** ginocchio | → | **le** ginocchi**a** o **i** ginocchi |
| l'orecchio | → | **le** orecchi**e** o **gli** orecchi |

| **Articolo determinativo maschile** | | |
|---|---|---|
| **Singolare** LO | **Plurale** GLI | **davanti a parole che iniziano con s + consonante, z, ps, gn**<br>lo **st**omaco, lo **ps**ichiatra, gli **sp**ecialisti, gli **z**occoli |
| IL | I | **davanti a parole che iniziano con le altre consonanti**<br>il **m**edico, il **f**armaco, i **r**eparti, i **p**ediatri |
| L' | GLI | **davanti a parole che iniziano con vocale**<br>l'**i**nfermiere, l'**o**recchio, gli **o**spedali, gli **o**cchi |
| **Articolo determinativo femminile** | | |
| **Singolare** LA | **Plurale** LE | **davanti a parole che iniziano con consonante**<br>la **f**armacia, la **m**edicina, le **c**ompresse, le **r**adiografie |
| L' | LE | **davanti a parole che iniziano con vocale**<br>l'**i**nfermiera, l'**o**stetrica, le **a**ssistenti, le **a**nalisi |

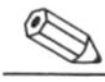

## 2 - Completa

*(i, l', l', la, le)*

1 - .......... dottoressa non ha potuto visitarmi.

2 - .......... impiegato alla cassa è stato molto gentile.

3 - Tutti .......... medici del Distretto sono in sciopero.

4 - Non ho ancora fatto ..... esame del sangue.

6 - Vado in farmacia a prendere .......... medicine

## 3 - Completa

| Il | Lo | La | L' |
|---|---|---|---|
| *ticket* | ...................... | *ricetta* | ...................... |
| ...................... | ...................... | ...................... | ...................... |
| ...................... | ...................... | ...................... | ...................... |
| ...................... | ...................... | ...................... | ...................... |

*ticket, ricetta,* ambulatorio, dottore, infermiera, lettino, malattia, medicina, ospedale, ostetrica, psicologo, radiografia, sangue, sportello, stomaco, studio.

# I SINTOMI DI UNA MALATTIA

✔ Ho **mal di testa**, perché ho dormito poco.

✔ Ho **mal di pancia**, perché ho mangiato troppo.

✔ Ho **mal di gola**, perché ho preso freddo.

✔ Ho **mal di stomaco**, perché non ho digerito bene.

✔ Ho **mal di schiena**, perché ho sempre sofferto di artrosi.

✔ Ho **mal d'orecchi**, perché ho avuto il raffreddore.

✔ Ho **mal di denti**, perché ho avuto un'infezione.

## 4 - COMPLETA

*(gola, gola, testa, testa, pancia, pancia, denti, schiena, orecchio, stomaco)*

1 - Josef ha mal di ............... perché ha dormito poco.
2 - I bambini hanno mal di ............... perché hanno preso freddo.
3 - Hai mal di ............... perché hai avuto un'infezione.
4 - Sarah ha mal di ............... perché ha sempre sofferto di artrosi.
5 - Abbiamo mal di ............... perché non abbiamo digerito bene.
6 - Hai mal di ............... perché hai mangiato troppo.
7 - Chanda e Mitesh hanno mal d' ............... perché hanno avuto il raffreddore.
8 - Se mangi troppo ti viene mal di ...............
9 - Chi dorme poco soffre di mal di ...............
10 - Non prendere freddo, ti viene mal di ...............

## ☺ DIALOGO N. 2

▲ Ciao Fatima, come va la tua schiena?
▼ Mi fa sempre male.
▲ Sei andata dal dottore?
▼ Non ancora.
▲ Come mai?
▼ Non ho avuto tempo perché la settimana scorsa è arrivato mio fratello dal Marocco.
▲ Prendi almeno qualche medicina?
▼ Sì, sono andata in farmacia e ho comprato delle compresse.
▲ Va bene, ma devi farti visitare dal dottore e seguire una cura adeguata.

## ✎ 5 - COMPLETA

*(cura, avuto, dal, farmacia, scorsa)*

Fatima non è ancora andata .............. dottore. Non ha .............. tempo perché la settimana .............. è arrivato suo fratello dal Marocco. In .............. ha comprato delle compresse per calmare il dolore, ma deve al più presto farsi visitare e seguire una .............. adeguata.

### Attenzione

I verbi che indicano uno stato, una condizione e la maggior parte dei verbi di movimento formano i tempi composti con l'ausiliare ***essere*** invece di *avere.*

| | | | | | |
|---|---|---|---|---|---|
| venire | ➔ | **sono venuto** | morire | ➔ | **è morto** |
| andare | ➔ | **sono andato** | guarire | ➔ | **sono guarito** |

| INDICATIVO PASSATO PROSSIMO - ANDARE, CADERE, PARTIRE (PRESENTE DI *ESSERE* + PARTICIPIO PASSATO) | | | | |
|---|---|---|---|---|
| questa mattina | io | sono | and-**ato/a** | in ospedale |
| ieri pomeriggio | tu | sei | cad-**uto/a** | dalle scale |
| oggi | lui/lei | è | part-**ito/a** | per Roma |
| il mese scorso | noi | siamo | and-**ati/e** | dal medico |
| un'ora fa | voi | siete | cad-**uti/e** | dalla bicicletta |
| martedì scorso | loro | sono | part-**iti/e** | alle cinque |

## IN FARMACIA

### ☺ DIALOGO N. 3

▲ Vorrei un antibiotico per mio marito. Ha febbre e mal di gola.
▼ Ha la ricetta del medico?
▲ No. Non posso comprarlo ugualmente?
▼ No, signora, mi dispiace. Per acquistare un antibiotico è necessaria la ricetta scritta da un medico.
▲ Che cosa posso fare?
▼ Lei ha il libretto sanitario?
▲ Sì.
▼ Allora deve andare dal suo medico di base e chiedere la prescrizione.
▲ Se ho la ricetta pago l'antibiotico?
▼ Lei paga solo il ticket, cioè una piccola cifra e non il prezzo intero della medicina.

### Prodotti per curarsi

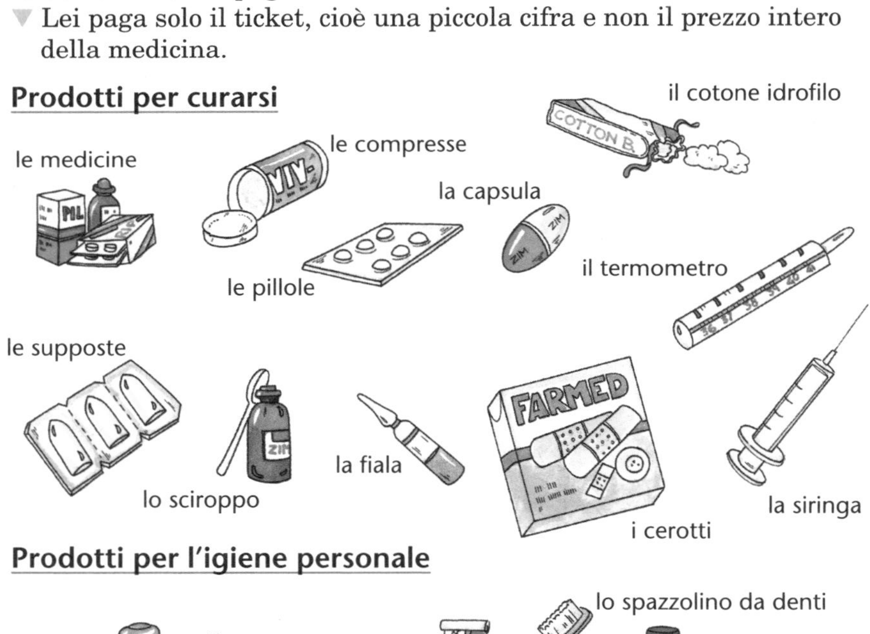


### Prodotti per l'igiene personale

lo spazzolino da denti
il sapone
il bagnoschiuma
il dentifricio
lo shampoo

## Tipi di farmaci

gli antidolorifici

gli antipiretici

i tranquillanti

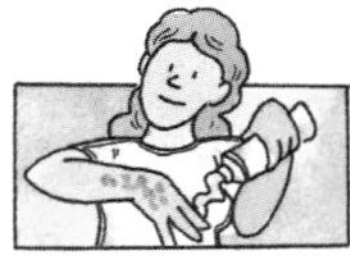
gli antistaminici

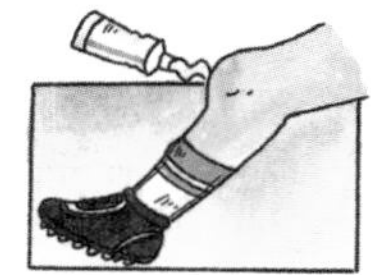
gli antinfiammatori

i sonniferi

## Informazioni utili

In ogni confezione di medicinali c'è un foglietto che dà informazioni importanti su quella medicina.

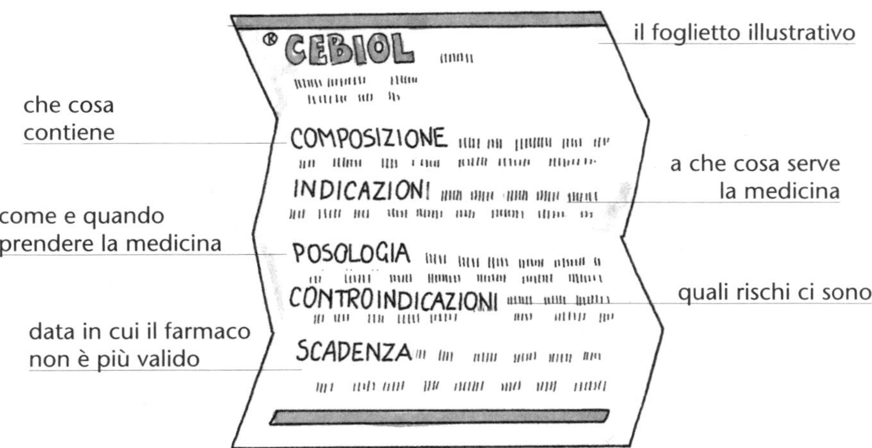

## IL PRONTO SOCCORSO

ACCETTAZIONE
l'ufficio accettazione
la paziente
la medicazione
la ferita
la garza
il disinfettante
ALCO
la radiografia
l'ingessatura
il gesso
la frattura
l'ambulanza
il reparto
REPARTO
ORTOPEDIA
la barella

## AL PRONTO SOCCORSO

### DIALOGO N. 4

SONO CADUTO
DALLA SCALA ...

▲ Avanti il prossimo. A chi tocca?
▼ A me.
▲ Prego. Che cosa è successo?
▼ Sono caduto dalla scala.
▲ Le fa male in questo punto?
▼ Sì, molto.
▲ La sua caviglia è fratturata.
Adesso le mettiamo il gesso.
▼ Per quanto tempo devo portarlo?
▲ Per venti giorni.

### 6 - RISPONDI

1 - Che cosa è successo al ragazzo?
2 - Perché la dottoressa decide di mettere il gesso?
3 - Per quanti giorni il ragazzo deve portare l'ingessatura?

| PARTICIPIO PASSATO - VERBI IRREGOLARI | | | |
|---|---|---|---|
| **rimanere** | ➔ | **rimasto** | *Sono **rimasta** a letto per tutto il giorno.* |
| **nascere** | ➔ | **nato** | *La bambina di mia sorella è **nata** il 13 dicembre.* |
| **fare** | ➔ | **fatto** | *Il dentista mi ha **fatto** un'iniezione per il mal di denti.* |
| **rompere** | ➔ | **rotto** | *Guarda! Mi hai **rotto** gli occhiali!* |
| **chiedere**<br>**rispondere** | ➔<br>➔ | **chiesto**<br>**risposto** | *Ti ho **chiesto** un piacere,*<br>*ma non mi hai **risposto**.* |
| **vedere**<br>**succedere** | ➔<br>➔ | **visto**<br>**successo** | *Avete **visto** alla TV*<br>*che cosa è **successo** a Roma?* |
| **prendere**<br>**prescrivere** | ➔<br>➔ | **preso**<br>**prescritto** | *Perché non hai **preso** le medicine*<br>*che ti ha **prescritto** il dottore?* |
| **dire**<br>**morire** | ➔<br>➔ | **detto**<br>**morto** | *Tom mi ha **detto***<br>*che è **morto** il suo pesce rosso.* |

## GLI SPECIALISTI

*Il pediatra è il medico specializzato nella cura dei bambini.*

✔ Ieri mio figlio ha avuto la febbre e ho chiamato subito il **pediatra**.

*Il ginecologo cura le malattie dell'apparato genitale femminile e segue la gravidanza.*

✔ Sono incinta! Devo andare dal **ginecologo**.

*Il dermatologo cura le malattie della pelle.*

✔ Il **dermatologo** mi ha dato una crema molto buona per le scottature.

*Il cardiologo cura le malattie del cuore.*

✔ Ho fatto l'elettrocardiogramma dal mio **cardiologo**.

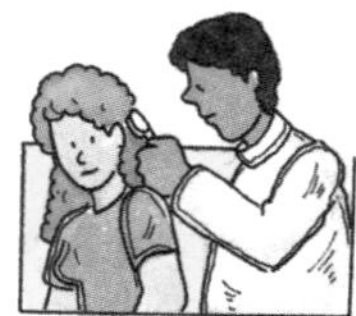

*L'otorino cura le malattie della gola e delle orecchie.*

✔ Se non senti bene, vai da un **otorino**.

*Il chirurgo fa delle operazioni sulle parti malate del corpo.*

✔ Mio cognato è stato operato al fegato da un **chirurgo** molto bravo.

*L'ortopedico cura le malattie delle ossa.*

✔ L'**ortopedico** mi ha consigliato la palestra per i dolori alla schiena.

*L'oculista cura le malattie degli occhi.*

✔ L'**oculista** mi ha prescritto gli occhiali, perché non vedo bene.

*Lo psichiatra cura le malattie mentali.*

✔ Per curare la depressione occorre andare dallo **psichiatra**.

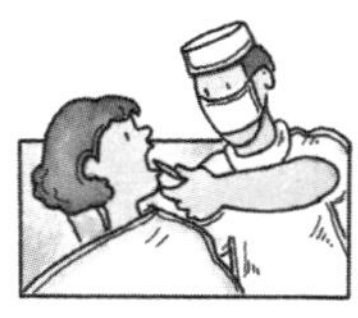

*Il dentista cura i denti.*

✔ Mi fa male un dente. Devo andare dal **dentista**.

# LA GRAVIDANZA

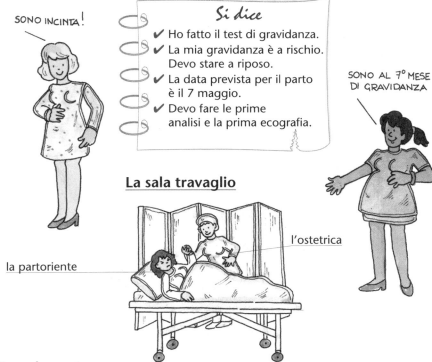

SONO INCINTA!

## *Si dice*

- ✔ Ho fatto il test di gravidanza.
- ✔ La mia gravidanza è a rischio. Devo stare a riposo.
- ✔ La data prevista per il parto è il 7 maggio.
- ✔ Devo fare le prime analisi e la prima ecografia.

SONO AL 7° MESE DI GRAVIDANZA

## La sala travaglio

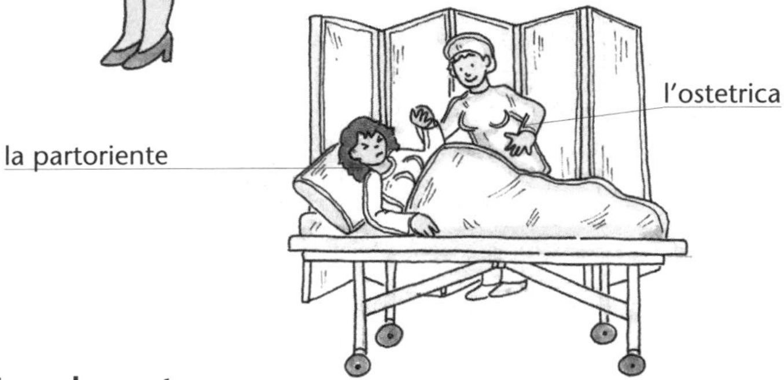

l'ostetrica

la partoriente

## La sala parto

## Il reparto maternità

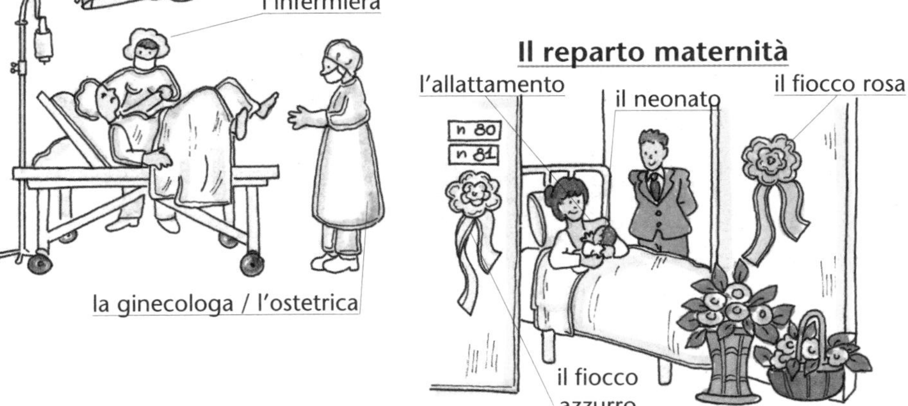

# UNITÀ 4: LA CASA

## L'INTERNO DELLA CASA

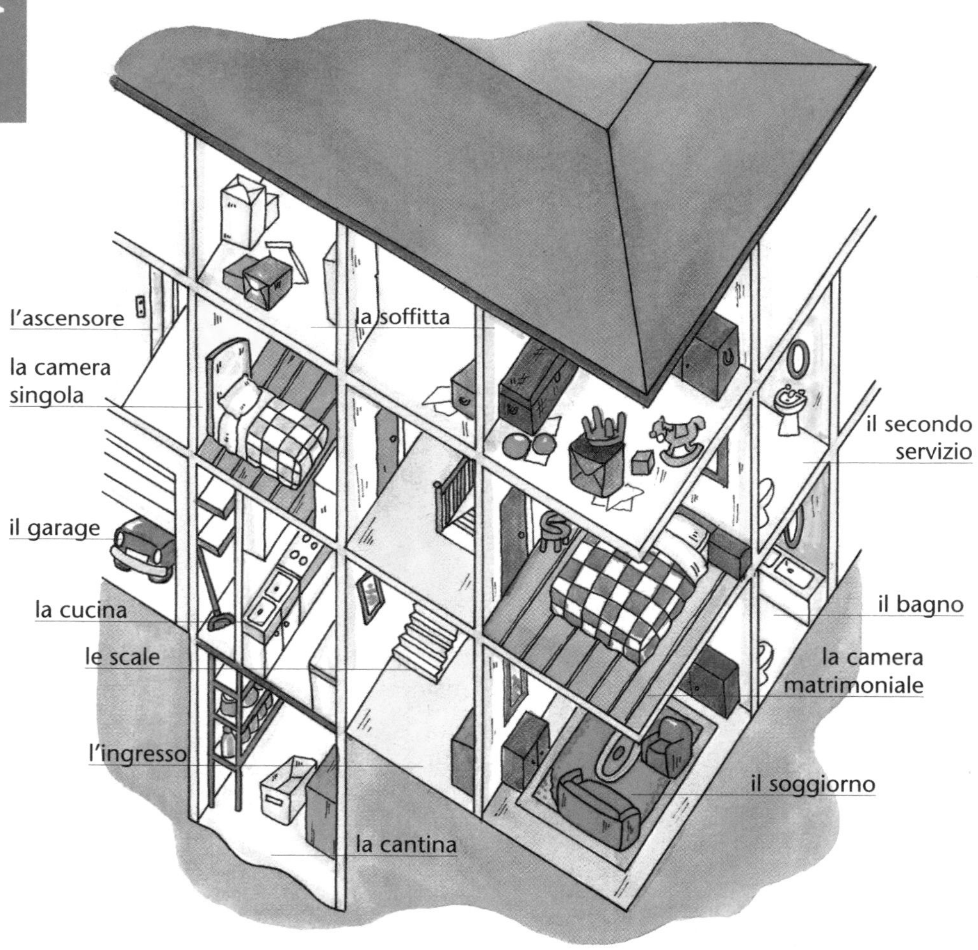

# ALL'AGENZIA IMMOBILIARE

## ☺ DIALOGO N. 1

CERCHIAMO UN APPARTAMENTO
AGEN
IMMOBI

▲ Buongiorno.
▼ Buongiorno, prego.
▲ Cerchiamo un appartamento nella zona di Borgo Venezia.
▼ Ho diversi appartamenti. Quali sono le vostre esigenze?
▲ Vorremmo due camere da letto, una cucina e un soggiorno.
▼ Uno o due servizi?
▲ Andrebbe bene anche un solo bagno.
▼ Avrei quattro locali in un palazzo al secondo piano.
▲ In che condizioni sono?
▼ Il palazzo è una nuova costruzione.
▲ C'è il garage?
▼ Sì, e anche la cantina.

## Appartamenti in vendita

A – BORGO VENEZIA appartamento in posizione tranquilla con ingresso, soggiorno, cucina abitabile, matrimoniale, servizio, balcone, cantina. Termoautonomo. € 156.000
Immobilia Tel. 045 7654881

B – BORGO VENEZIA vendiamo appartamento, 3 camere, soggiorno, cucina, balconi, cantina e garage, riscaldamento autonomo. € 275.000
Forsale Tel. 045 8365910

C – BORGO VENEZIA appartamento composto da ingresso, soggiorno, cucin a, 2 camere, servizio, balcone, garage e cantina.
€ 260.000
Casamia Tel. 045 7654881

## ✎ 1 - SCEGLI

Quale annuncio risponde alla domanda dei due signori? *A* *B* *C*

## ✎ 2 - VERO O FALSO?

| | | |
|---|---|---|
| 1 - I signori cercano casa in Borgo Venezia. | V | F |
| 2 - Vorrebbero tre camere da letto. | V | F |
| 3 - Hanno bisogno di due bagni. | V | F |

## L'ESTERNO DELLA CASA

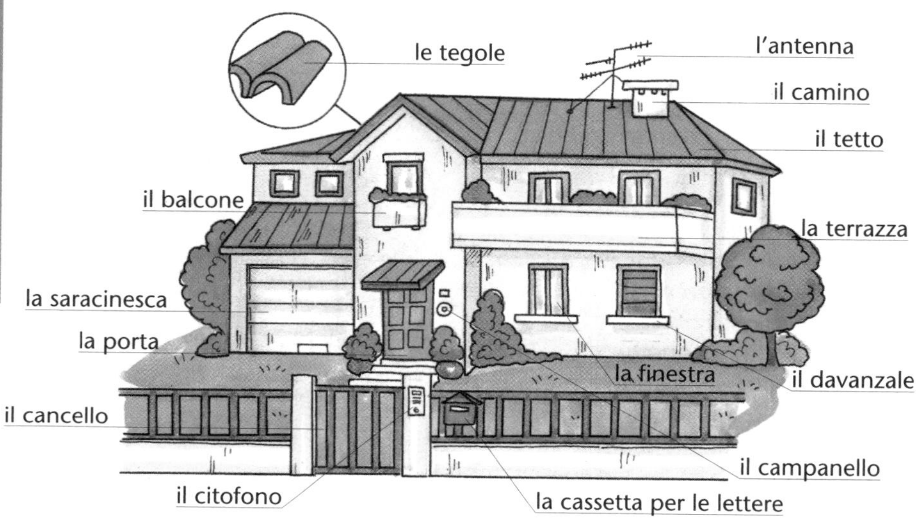


### *Si dice*

- ✔ Il **campanello** non funziona.
- ✔ Chiudi la **porta** a chiave.
- ✔ Devo far pulire il **camino**.
- ✔ Dalla mia terrazza vedo il mare.
- ✔ Hai abbassato la **saracinesca** del garage?
- ✔ Il vento ha danneggiato l'**antenna** della televisione.
- ✔ Vorrei mettere dei vasi di fiori sui **davanzali**.
- ✔ Sul **tetto** ci sono due **tegole** rotte.

| CONDIZIONALE PRESENTE - *ESSERE* E *AVERE* | | | | |
|---|---|---|---|---|
| | **ESSERE** | | **AVERE** | |
| io | sarei | pronto | avrei | fame |
| tu | saresti | felice | avresti | dei soldi |
| lui/lei | sarebbe | sorpreso/a | avrebbe | una casa |
| noi | saremmo | vicini/e | avremmo | sonno |
| voi | sareste | a casa | avreste | un lavoro |
| loro | sarebbero | contenti | avrebbero | la macchina |

## CHIEDERE INFORMAZIONI AL TELEFONO

Arena bazaar

### ☺ DIALOGO N. 2

▲ Potrei avere alcune informazioni su un monolocale? Ho visto un vostro annuncio sul giornale.
▼ Volentieri, ma l'impiegato in questo momento è occupato. Potrebbe richiamare più tardi?

### ☺ DIALOGO N. 3

VORREI PARLARE CON...

▲ Buongiorno, vorrei parlare con il signor Rossi a proposito dell'appartamento da affittare.
▼ Mi dispiace, adesso non c'è. Dovrebbe ritelefonare questa sera.
▲ Va bene, grazie.

NON SO COSA FARE...

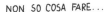

### ☺ DIALOGO N. 4

▲ Allora, ha deciso per la casa?
▼ No, non so cosa fare. Mi piace molto, ma è troppo cara. Non potrebbe abbassare il prezzo?
▲ Mi dispiace, non è proprio possibile.

**CONDIZIONALE PRESENTE - VERBI SERVILI**

| | POTERE | VOLERE | DOVERE | |
|---|---|---|---|---|
| io | potr-**ei** | vorr-**ei** | dovr-**ei** | chiedere informazioni |
| tu | potr-**esti** | vorr-**esti** | dovr-**esti** | cercare una casa |
| lui/lei | potr-**ebbe** | vorr-**ebbe** | dovr-**ebbe** | venire al più presto |
| noi | potr-**emmo** | vorr-**emmo** | dovr-**emmo** | seguire il tuo consiglio |
| voi | potr-**este** | vorr-**este** | dovr-**este** | stare più attenti |
| loro | potr-**ebbero** | vorr-**ebbero** | dovr-**ebbero** | telefonarti |

## TIPI DI CASA

le case a schiera

la villa

il grattacielo

il palazzo
il condominio

| CONDIZIONALE PRESENTE | |
|---|---|
| **1ª coniugazione COMPR-ARE** | |
| io | compr-**erei** |
| tu | compr-**eresti** |
| lui/lei | compr-**erebbe** |
| noi | compr-**eremmo** |
| voi | compr-**ereste** |
| loro | compr-**erebbero** |
| **2ª coniugazione VEND-ERE** | |
| io | vend-**erei** |
| tu | vend-**eresti** |
| lui/lei | vend-**erebbe** |
| noi | vend-**eremmo** |
| voi | vend-**ereste** |
| loro | vend-**erebbero** |
| **3ª coniugazione SENT-IRE** | |
| io | sent-**irei** |
| tu | sent-**iresti** |
| lui/lei | sent-**irebbe** |
| noi | sent-**iremmo** |
| voi | sent-**ireste** |
| loro | sent-**irebbero** |

**CONDIZIONALE PRESENTE - VERBI IRREGOLARI**

| | ANDARE | VEDERE | SAPERE | VENIRE | BERE |
|---|---|---|---|---|---|
| io | andrei | vedrei | saprei | verrei | berrei |
| tu | andresti | vedresti | sapresti | verresti | berresti |
| lui/lei | andrebbe | vedrebbe | saprebbe | verrebbe | berrebbe |
| noi | andremmo | vedremmo | sapremmo | verremmo | berremmo |
| voi | andreste | vedreste | sapreste | verreste | berreste |
| loro | andrebbero | vedrebbero | saprebbero | verrebbero | berrebbero |

## IL TRASLOCO

✓ traslocare
✓ trasferirsi

✓ arredare la casa
✓ ammobiliare

✓ imbiancare la casa
✓ dipingere le pareti

### 3 - COMPLETA

*(dovremmo, direi, avrei, vorrebbero, vorrei, vorremmo)*

1 - Quando diresti di fare il trasloco?
Io .......................... di farlo il prossimo mese.

2 - Quando dovreste lasciare libero l'appartamento?
Noi .......................... lasciarlo libero in luglio.

3 - Quale ditta vorresti chiamare per il trasloco?
Io .......................... chiamare la ditta Velox.

4 - Quando avresti tempo per imbiancare la sala?
Io .......................... tempo lunedì prossimo.

5 - Quale casa vorrebbero i signori Kallas?
.......................... l'appartamento in via Zamboni.

6 - Con quali mobili vorreste arredare la casa?
.......................... arredarla con mobili antichi.

### 4 - CONIUGA

1 - (Lei, potere) *Potrebbe* rivedere le condizioni di pagamento?

2 - (Tu, sapere) .......................... darmi un consiglio?

3 - (Io, dovere) .......................... dipingere la casa.

4 - (Tu, comprare) .......................... un appartamento in questa zona?

5 - (Noi, avere) .......................... intenzione di cambiare casa.

6 - (Io, andare) .......................... in una casa nuova, se potessi.

7 - (Voi, venire) .......................... ad aiutarmi durante il trasloco?

8 - Mi (tu, fare) .......................... un piacere?

## LA CASA IN AFFITTO

- Il padrone di casa mi ha dato lo sfratto.
- Purtroppo sono stato sfrattato.

- Ho preso in affitto una casa al mare.
- Vorrei affittare una villetta in riva al mare.

- L'anno prossimo scade il mio contratto d'affitto.
- La scadenza del mio contratto è l'anno prossimo.

- Questo mese l'inquilino non ha pagato l'affitto.
- L'affitto si paga all'inizio del mese.

- Devo pagare le spese condominiali.
- In questo condominio ci sono molte spese.

- Questa casa è da ristrutturare.
- Sono iniziati i lavori di ristrutturazione della casa.

## ☺ Dialogo n. 5

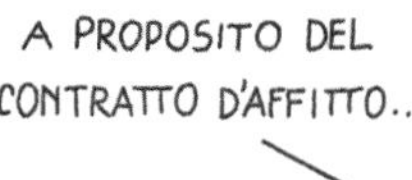
A PROPOSITO DEL
CONTRATTO D'AFFITTO...

▲ Buongiorno signora Filipovic.
Sono Bonetti.
▼ Buongiorno.
▲ La chiamo a proposito del contratto d'affitto.
▼ Ah, già, scade tra un mese.
▲ Sì. Ecco... io vorrei aumentare il canone.
Sa, ho avuto molte spese per
i lavori di ristrutturazione della casa.
Quando potremmo parlare?
▼ Andrebbe bene la settimana prossima?
In questi giorni ho poco tempo.
▲ Certo. Va bene giovedì prossimo
alle 19?
▼ D'accordo. Arrivederci.

## 5 - Vero o falso?

| | | |
|---|---|---|
| 1 - Il signor Bonetti vuole dare lo sfratto alla signora Filipovic. | V | F |
| 2 - Il contratto d'affitto è già scaduto. | V | F |
| 3 - Il signor Bonetti ha avuto molte spese per sistemare la casa. | V | F |
| 4 - La signora Filipovic ha poco tempo. | V | F |
| 5 - Il signor Bonetti e la signora Filipovic decidono di incontrarsi giovedì prossimo. | V | F |

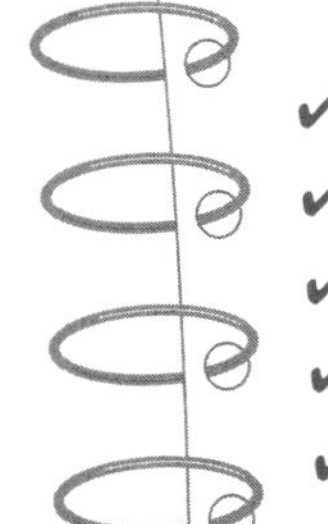

### Si dice

- ✔ Affittare un appartamento
- ✔ Prendere un appartamento in affitto
- ✔ Pagare l'affitto al padrone di casa
- ✔ Avere un regolare contratto d'affitto
- ✔ L'affitto di questo appartamento è caro
- ✔ Gli inquilini di questo condominio sono rumorosi
- ✔ Nell'affitto sono comprese le spede condominiali.

# LA MANUTENZIONE DELLA CASA

il tappezziere

l'idraulico

il fabbro

l'elettricista

il muratore

la presa di corrente

la caldaia

il contatore

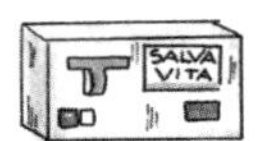

il salvavita

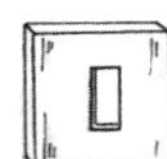
l'interruttore

il rubinetto del gas

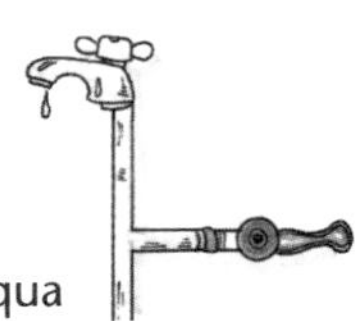
il rubinetto dell'acqua

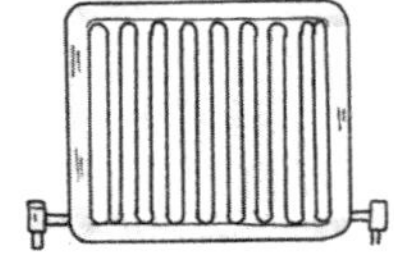
il radiatore
il termosifone

lo scaldabagno

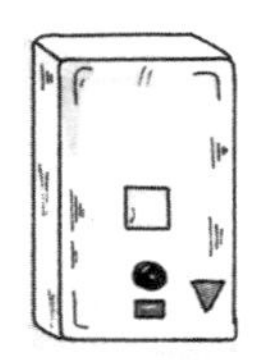

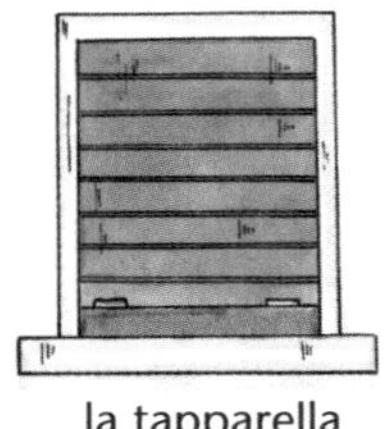
la tapparella
l'avvolgibile

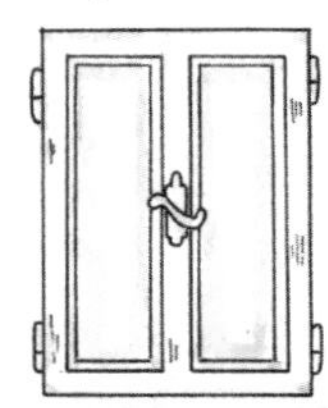
gli infissi

le persiane

## CHIAMARE UN TECNICO

### ☺ Dialogo n. 6

▲ Centro Assistenza GiroWatt. Desidera?
▼ La mia caldaia non funziona. Ho cercato più volte di accenderla, ma inutilmente.
▲ Perde acqua?
▼ Mi sembra di no.
▲ Ha controllato la valvola di accensione?
▼ No. Non l'ho controllata. Potrebbe mandarmi un tecnico?
▲ Sì, domani pomeriggio tra le 14 e le 18. Va bene?
▼ Non è possibile oggi? Ho in casa una bambina piccola e con il riscaldamento spento c'è molto freddo.
▲ Mi dispiace, abbiamo molto lavoro in questi giorni.
▼ Allora mi rivolgo a un altro centro di assistenza. Grazie, buongiorno.

### 6 - Collega

| | |
|---|---|
| 1 - La signora vorrebbe ... | a - ... il Centro Assistenza GiroWatt. |
| 2 - La signora ha in casa ... | b - ... un tecnico oggi. |
| 3 - L'impianto di riscaldamento ... | c - ... molto freddo. |
| 4 - La signora ha chiamato ... | d - ... è spento. |
| 5 - La caldaia ... | e - ... una bimba piccola. |
| 6 - Con il riscaldamento spento c'è... | f - ... non funziona. |

### 7 - Completa

*(verde, idraulico, contatore, poltrone, scaldabagno, elettricista)*

1 - Il rubinetto è rotto e ho chiamato l'..............................
2 - L'.............................. ha cambiato l'interruttore.
3 - Non funziona lo .............................., per questo l'acqua è fredda.
4 - Il tappezziere ha rivestito le .............................. del salotto.
5 - Le tapparelle di casa mia sono di colore ..............................
6 - Il .............................. dell'acqua è sotto il lavandino.

# L'ARREDAMENTO DELLA CASA

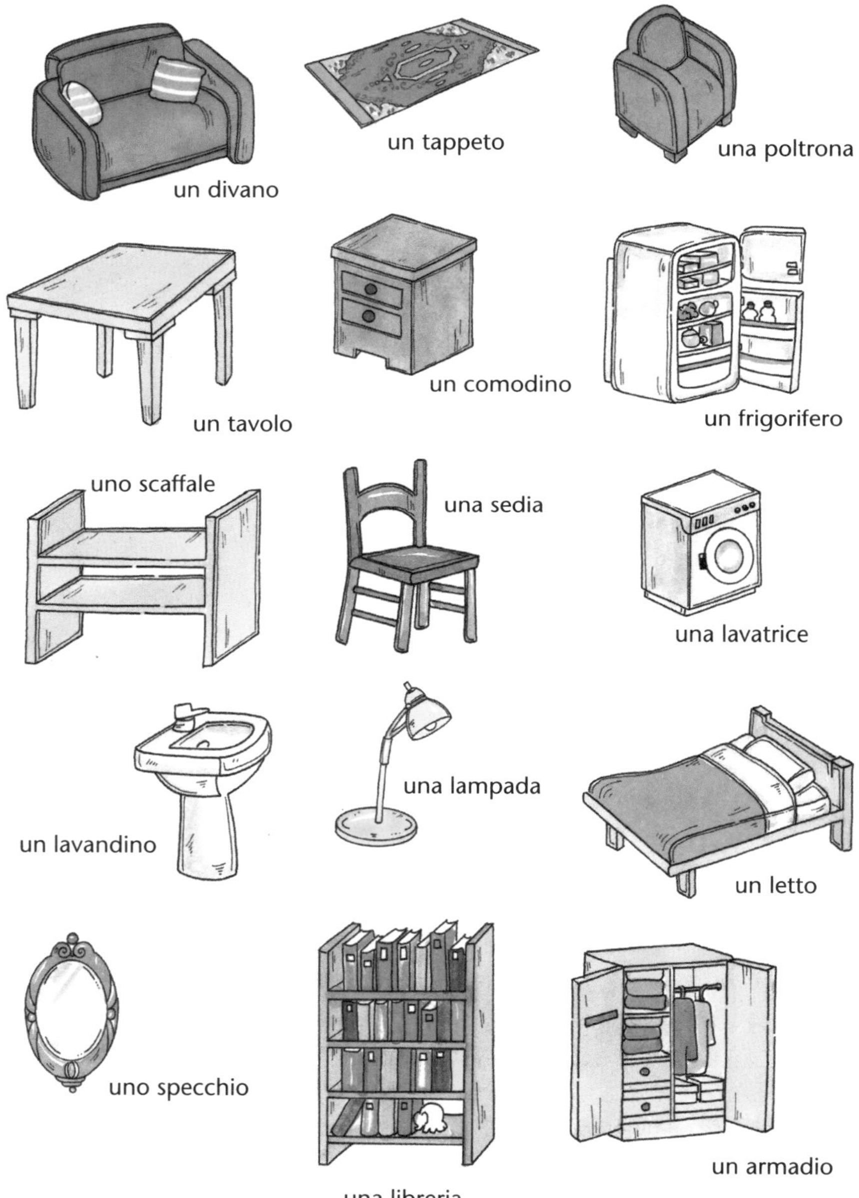

| Articolo indeterminativo | |
|---|---|
| **Maschile singolare** | |
| **UNO** | **davanti a parole che iniziano con s + consonante, z, ps, gn**<br>uno **sp**ortello, uno **z**aino, uno **gn**occo, uno **ps**icologo |
| **UN** | **davanti a parole che iniziano con altre consonanti e con vocale**<br>un **c**orridoio, un **a**rmadio |
| **Femminile singolare** | |
| **UNA** | **davanti a parole che iniziano con consonante**<br>una **s**tanza, una **c**ucina, una **p**oltrona |
| **UN'** | **davanti a parole che iniziano con vocale**<br>un'**a**ntenna, un'**a**ranciata, un'**a**natra |

## 8 - Completa

*(un, un, un, un, un, un, un, una, una, una)*

Io abito in .............. appartamento con mio marito e i nostri due figli. La casa è abbastanza grande: ci sono due camere da letto, .............. ingresso, .............. soggiorno, .............. cucina e .............. bagno. Inoltre abbiamo .............. cantina e .............. garage. La cucina è la stanza più luminosa: ci sono infatti .............. finestra e .............. balcone. Vicino alla casa c'è .............. parco giochi dove porto spesso i bambini a giocare.

## 9 - Sostituisci

1 - La casa di due piani. — *Una* casa di due piani.
2 - L'appartamento in affitto. — .......... appartamento in affitto.
3 - Lo specchio per il bagno. — .......... specchio per il bagno.
4 - L'orologio da muro. — .......... orologio da muro.
5 - L'inquilina simpatica. — .......... inquilina simpatica.
6 - L'affitto da pagare. — .......... affitto da pagare.

# UNITÀ 5: I TRASPORTI

## LA STRADA

senso vietato

divieto di sosta

divieto di sorpasso

dare la precedenza

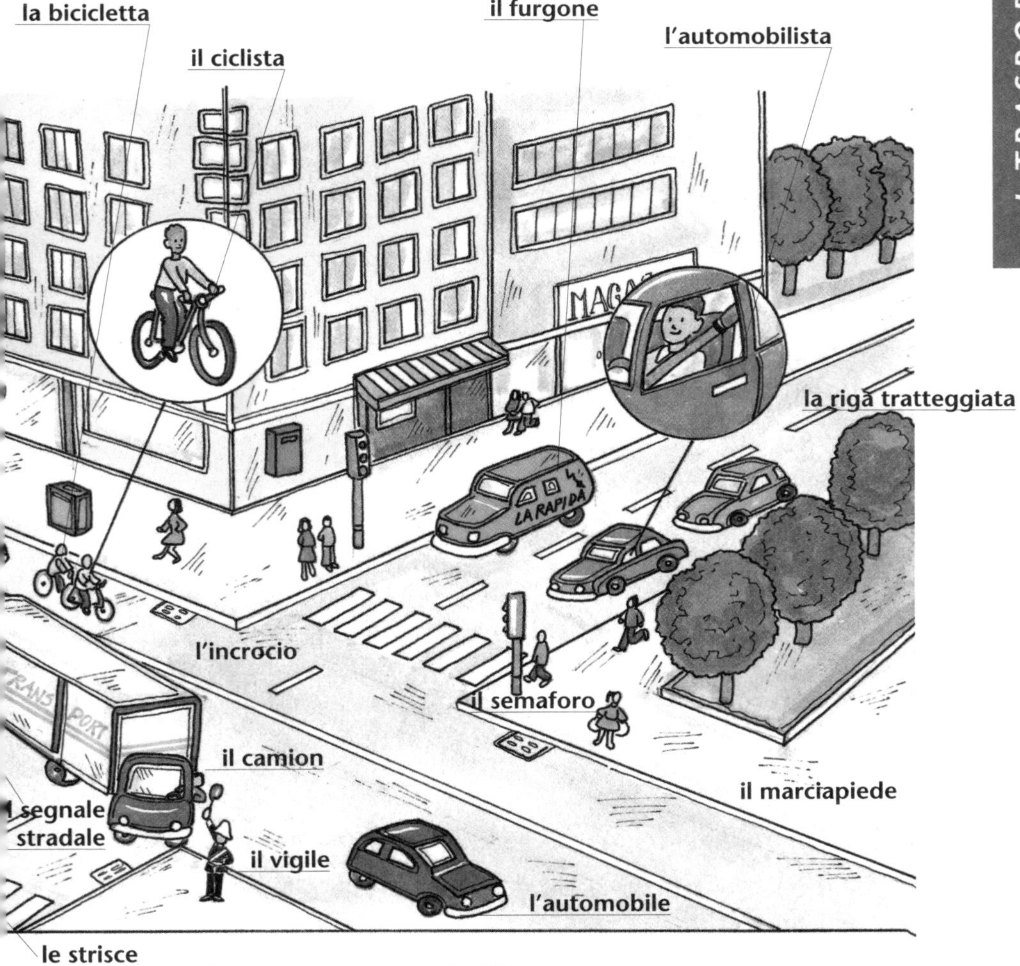

la bicicletta

il furgone

l'automobilista

il ciclista

la riga tratteggiata

l'incrocio

il semaforo

il camion

il marciapiede

il segnale stradale

il vigile

l'automobile

le strisce
il passaggio pedonale

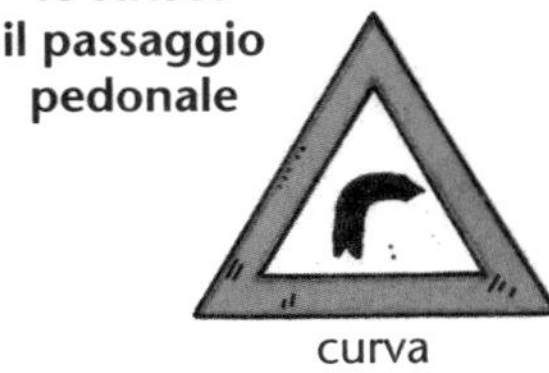

curva pericolosa

parcheggio

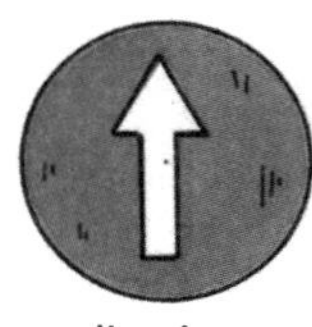

direzione obbligatoria

pista ciclabile

# CHIEDERE E DARE INDICAZIONI STRADALI

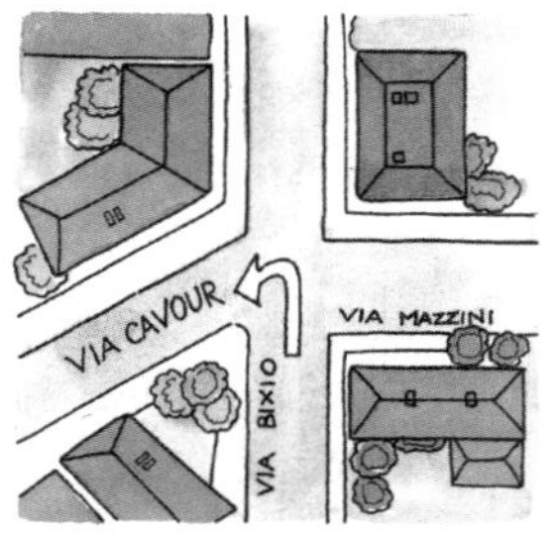


✔ *Scusi, dov'è Via Cavour?*
Deve proseguire fino all'**incrocio** e poi girare a sinistra.

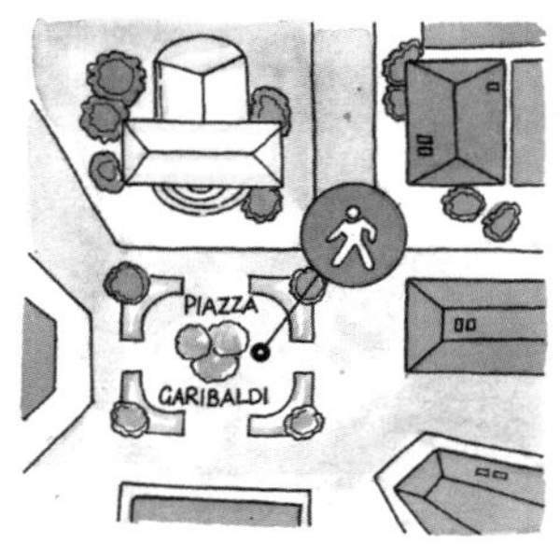


✔ *Posso andare con la macchina in Piazza Garibaldi?*
No, non è possibile, perché è **zona pedonale**.

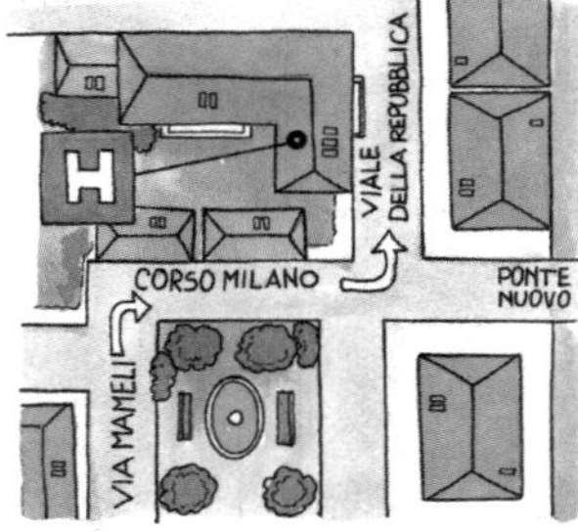


✔ *Qual è il percorso più breve per raggiungere a piedi l'ospedale?*
Via Mameli fino ai giardini, poi a destra **Corso** Milano e prima del **Ponte**, a sinistra, **Viale** della Repubblica.

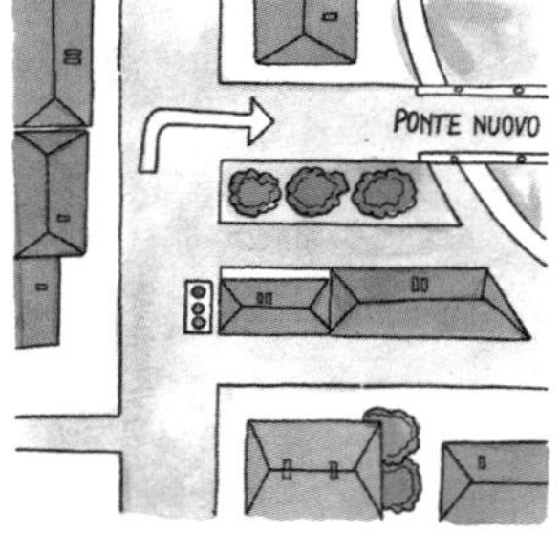


✔ *Devo andare al Ponte Nuovo, mi può indicare la strada?*
Deve proseguire per circa duecento metri fino al **semaforo**, poi prendere la seconda **traversa** a destra.

✔ *Si può raggiungere in macchina la stazione da Corso Umberto?*
No, non si può, perché è a **senso unico**.

✔ *Mi sa dire dove si trova il cinema Ariston?*
È in **Via** Mazzini, al n. 25.

## 1 - Scegli

1 - Il cinema Ariston si trova:
a - in Corso Mameli al n. 10.
b - in Via Mazzini, 25.
c - al n. 5 di Viale della Repubblica.

2 - Non si può arrivare in Piazza Garibaldi con la macchina perché:
a - è zona pedonale.
b - ci sono lavori in corso.
c - c'è il senso unico.

## 2 - Ordina e riscrivi

1 - dov' scusi Roma Via è?

.......................................................................................................................

2 - con posso macchina in Umberto andare la Piazza?

.......................................................................................................................

3 - da si raggiungere la Garibaldi Corso può stazione?

.......................................................................................................................

4 - cinema mi Marconi si sa dove dire trova il?

.......................................................................................................................

5 - al devo Ponte andare Nuovo, la indicare può strada mi?

.......................................................................................................................

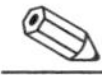

## 3 - Completa

1 - Il teatro si trova in ................
............................ al n. .....

2 - La scuola è in ....................
............................ al n. .....

3 - Ti aspetto al n. .........
..........................................

4 - La macchina è parcheggiata
..........................................

# PRENDERE L'AUTOBUS

✔ *Scusi, è già passato l'autobus 22?*
No, è in ritardo,
anch'io lo aspetto.

BUS
26
28
34

✔ *Per favore, mi sa dire a che ora passa l'autobus 28?*
Alle 10:30.

GIORNALI
QUI BIGLIETTI AUTOBUS

✔ *Per piacere, dove posso comperare il biglietto per l'autobus?*
Dal giornalaio là di fronte.

24
BUS

✔ *Prendi anche tu il 24?*
Sì, fino a piazza Garibaldi
poi scendo e prendo il 26.

## 4 - COMPLETA

(*24, 26, 10, arrivato, aspetto, autobus, biglietto, Piazza, Garibaldi, ritardo, giornalaio*)

1 - Anch'io ........................................... l'autobus 22.
2 - L'autobus 22 non è ancora .................................. . È in ............................... .
3 - Prendo il .................. fino a .......................................... Garibaldi.
4 - In Piazza .......................................... prendo l'autobus ............................... .
5 - L'.................................... 28 passa alle .................. .
6 - Il .............................. per l'autobus si può comprare dal .............................. .

APPENA SALGO TIMBRO IL BIGLIETTO

MI SIEDO SE C'È UN POSTO LIBERO

SUONO IL CAMPANELLO, QUANDO DEVO SCENDERE.

## SULL'AUTOBUS

POSSO USARE ANCORA QUESTO BIGLIETTO?

### DIALOGO N. 1

▲ Per favore, questo autobus va fino alla stazione?
▼ Sì, certamente.
▲ E quanto tempo impiega per arrivare?
▼ Circa venti minuti, se non ci sono ingorghi nel traffico.
▲ Può avvisarmi quando devo scendere?
▼ Va bene, la chiamo tra cinque fermate.
▲ Posso usare ancora questo biglietto?
▼ Sì, perché vale sessanta minuti.

### 5 - SCEGLI

1 - Dove deve andare la signora?
a - All'ospedale.
b - Alla stazione.
c - A casa.

2 - Quanto tempo impiega l'autobus per arrivare alla stazione?
a - Un'ora.
b - Circa trenta minuti.
c - Venti minuti.

3 - Tra quante fermate deve scendere la signora?
a - Due fermate.
b - Tre fermate.
c - Cinque fermate.

4 - Perché può usare ancora il biglietto?
a - Perché vale un'ora.
b - Perché vale quarantacinque minuti.
c - Perché vale un'ora e mezzo.

### 6 - COMPLETA

*(posto libero, campanello, biglietto, autobus)*

1 - Maria sale sull'.............................. e timbra il .............................. .
2 - Francoise e Martine si siedono se c'è un ..................... ....................... .
3 - Suoniamo il ........................................... quando dobbiamo scendere.

| INDICATIVO FUTURO SEMPLICE | | |
|---|---|---|
| **ESSERE** | | |
| io | sa-**rò** | felice |
| tu | sa-**rai** | alla festa |
| lui/lei | sa-**rà** | in vacanza |
| noi | sa-**remo** | al mare |
| voi | sa-**rete** | nostri ospiti |
| loro | sa-**ranno** | insieme a me |
| **AVERE** | | |
| io | av-**rò** | un premio |
| tu | av-**rai** | un fratellino |
| lui/lei | av-**rà** | una bicicletta |
| noi | av-**remo** | una casa nostra |
| voi | av-**rete** | un lavoro |
| loro | av-**ranno** | un figlio |

| INDICATIVO FUTURO SEMPLICE | | |
|---|---|---|
| 1ª coniugazione **ARRIV-ARE** | | |
| io | arriv-**erò** | domani |
| tu | arriv-**erai** | domenica |
| lui/lei | arriv-**erà** | in ritardo |
| noi | arriv-**eremo** | stasera |
| voi | arriv-**erete** | presto |
| loro | arriv-**eranno** | di notte |
| 2ª coniugazione **SCEND-ERE** | | |
| io | scend-**erò** | dal treno |
| tu | scend-**erai** | dall'autobus |
| lui/lei | scend-**erà** | dall'aereo |
| noi | scend-**eremo** | a Roma |
| voi | scend-**erete** | in via Diaz |
| loro | scend-**eranno** | a piedi |
| 3ª coniugazione **PART-IRE** | | |
| io | part-**irò** | da Verona |
| tu | part-**irai** | con un'amica |
| lui/lei | part-**irà** | per le vacanze |
| noi | part-**iremo** | in settembre |
| voi | part-**irete** | a mezzogiorno |
| loro | part-**iranno** | in macchina |

- ✔ La mia macchina non parte.
- ✔ Andrò al lavoro in scooter.
- ✔ Con questo traffico arriverò tardi.
- ✔ Partirò per Genova domani alle 8.

## 7 - COMPLETA LA DOMANDA

| | |
|---|---|
| *1* - Quando *partiranno?* | Partiranno dopodomani. |
| 2 - Quale treno ............................? | Prenderò il treno di mezzogiorno. |
| 3 - Quando ..................................? | Arriverò alle 18.30. |
| 4 - John con chi ...........................? | John verrà da solo. |
| 5 - Quanto tempo ........................? | Starò con voi tutto il giorno. |
| 6 - Dove .......................................? | Scenderemo a Firenze. |
| 7 - Nel 2015 quanti anni ..............? | Nel 2015 avrò quarant'anni. |
| 8 - In quale hotel ................ Ingrid? | Ingrid sarà all'hotel Panoramic. |

| INDICATIVO FUTURO SEMPLICE - VERBI IRREGOLARI | | | | | |
|---|---|---|---|---|---|
| | **ANDARE** | **VEDERE** | **POTERE** | **VOLERE** | **BERE** |
| io | andr-**ò** | vedr-**ò** | potr-**ò** | vorr-**ò** | berr-**ò** |
| tu | andr-**ai** | vedr-**ai** | potr-**ai** | vorr-**ai** | berr-**ai** |
| lui/lei | andr-**à** | vedr-**à** | potr-**à** | vorr-**à** | berr-**à** |
| noi | andr-**emo** | vedr-**emo** | potr-**emo** | vorr-**emo** | berr-**emo** |
| voi | andr-**ete** | vedr-**ete** | potr-**ete** | vorr-**ete** | berr-**ete** |
| loro | andr-**anno** | vedr-**anno** | potr-**anno** | vorr-**anno** | berr-**anno** |

## 8 - CONIUGA

1 - Mimì (prendere) *prenderà* il treno con noi.

2 - Carlos e Pablo (partire) .................... domenica prossima.

3 - Con questo autobus (voi, arrivare) .................... in tempo alla stazione.

4 - In settembre farò un viaggio se (io, avere) .................... le ferie.

5 - Se prenderai l'aereo delle 14 (tu, essere) .................... a Creta alle 16:30.

## 9 - COMPLETA

*(prenderanno, prenderò, prenderete, prenderai, prenderà, prenderemo)*

1 - Domani mattina io ........................................ l'autobus 22.

2 - Questa sera tu ........................................ la metropolitana.

3 - Nancy ........................................ un taxi per venire a casa.

4 - Alle 20:00 noi ........................................ la metro, come tutte le sere.

5 - Voi ........................................ il bus che ferma a Gallarate.

6 - John e Susan ........................................ il traghetto per la Corsica.

## 10 - COLLEGA

| | | | |
|---|---|---|---|
| 1 - Venire | a - Partirò | 7 - Leggere | g - Leggerete |
| 2 - Andare | b - Prenderemo | 8 - Sapere | h - Vedrai |
| 3 - Lavorare | c - Verrò | 9 - Bere | i - Saprai |
| 4 - Arrivare | d - Andremo | 10 - Stare | l - Berrà |
| 5 - Partire | e - Lavorerete | 11 - Vedere | m - Diranno |
| 6 - Prendere | f - Arriveranno | 12 - Dire | n - Starete |

# CHE ORA È?

✔ È mezzanotte.
✔ Sono le (ore) ventiquattro.

✔ È mezzogiorno.
✔ Sono le (ore) dodici.

✔ È l'una.

✔ Sono le tredici.

✔ Sono le due.

✔ Sono le quattordici.

✔ Sono le tre e un quarto.

✔ Sono le quindici e quindici (minuti).

✔ Sono le quattro e trenta.
✔ Sono le quattro e mezza.

✔ Sono le sedici e trenta.

✔ Sono le cinque e tre quarti.
✔ Sono le cinque e quarantacinque.
✔ Sono le sei meno un quarto.
✔ Manca un quarto alle sei.

✔ Sono le diciassette e quarantacinque.

*Attenzione*

**Nell'italiano parlato si usano di solito i numeri dall'1 al 12 anche per indicare le ore pomeridiane.**

✔ Sono le due e un quarto.

✔ Sono le sei e mezza.

## Giorni, ore, minuti, secondi

✔ Un giorno è formato da ventiquattro (24) ore.
✔ Un'ora è formata da sessanta (60) minuti.
✔ Un minuto è formato da sessanta (60) secondi.

**Attenzione**

- *Quanto tempo impiega l'autobus per andare all'aeroporto?*
  Impiega un'ora e dieci minuti.
- *Quanto tempo ci vuole per arrivare a casa tua?*
  Con la macchina ci vogliono circa quaranta minuti.
- *In quanto tempo questo treno va da Venezia a Padova?*
  In venti minuti circa.

## 11 - Completa

1 - Devo affrettarmi, è buio ormai, sono già le ....................

2 - Il mio treno partirà domani mattina alle ........................

3 - Lucy e Bill arriveranno domani sera alle ........................

4 - Il nostro ufficio apre tutti i giorni alle ............................

5 - Questa mattina le lezioni termineranno alle ..................

## 12 - Collega

| | |
|---|---|
| 1 - Che ore sono?<br>Sono le 17:30. | a - Sono le 11:45. |
| 2 - Per favore mi dici che ora è?<br>Manca un quarto a mezzogiorno | b - Sono le cinque e mezzo. |
| 3 - È già mezzanotte?<br>Non ancora, mancano cinque minuti. | c - Sono le 23:55. |
| 4 - A che ora inizia lo spettacolo stasera?<br>Alle nove e un quarto. Sii puntuale! | d - Mancano dieci minuti alle nove. |
| 5 - Sbrigati. Sono le 8:50.<br>Sono pronto. Arrivo subito. | e - Alle 21:15. |

# LA STAZIONE FERROVIARIA

# L'ORARIO FERROVIARIO

numero del quadro — linea di percorrenza — numero del treno — distanza in chilometri — stazione — classe — treno con pagam… di supplem… — vagone ristorante — treno in transito — orario d'arrivo — orario di partenza — nome del treno

**65** **Venezia-Padova-Vicenza-Verona-**

| K. | | | ♦ ♿ 60 EC 1 e 2 | 2100 IR 1 e 2 | ♦ 20476 2 cl. | ♦ ✕ 354 IC 1 e 2 | 5506 feriale 2 cl. | 20478 1 e 2 | ♦ ✕ 86 EC 1 e 2 | 2712 diretto feriale 1 e 2 | ♦ 622 IC 1 e 2 | 2104 IR 1 e 2 | ♦ 5610 feriale 2 cl. | 20484 2 cl. | ♦ 626 IC 1 e 2 |
|---|---|---|---|---|---|---|---|---|---|---|---|---|---|---|---|
| - | VENEZIA S.L. | p | 11 58 | ... | 12 04 | 12 58 | ... | 13 02 | 13 30 | ✱13 35 | 13 58 | ... | ✱14 04 | 14 32 | 14 5 |
| 7 | Venezia P. Marghera | | | ... | | | ... | | | | | ... | | | |
| 9 | VENEZIA MESTRE | a | 12 07 | ... | 12 13 | 13 07 | ... | 13 12 | 13 39 | 13 44 | 14 07 | ... | 14 13 | 14 41 | 15 0 |
| | | p | 12 10 | ... | 12 14 | 13 10 | ... | 13 14 | 13 42 | 13 47 | 14 10 | ... | 14 15 | 14 43 | 15 1 |
| 18 | Mira-Mirano | | | ... | 12 24 | | ... | 13 24 | | | | ... | 14 24 | 14 54 | |
| 22 | Dolo | | ✕ | ... | 12 29 | | ... | 13 29 | | | | ... | 14 29 | 14 59 | |
| 26 | Vigonza-Pianiga | | | ... | 12 34 | | ... | 13 35 | | | | ... | 14 35 | 15 04 | |
| 32 | Ponte di Brenta | | | ... | 12 40 | | ... | 13 40 | | | | ... | 14 40 | 15 10 | |
| 37 | PADOVA | a | 12 29 | ... | 12 45 | 13 29 | ... | 13 45 | 14 01 | 14 08 | 14 29 | ... | 14 45 | 15 16 | 1 |
| | | p | 12 32 | ... | 12 48 | 13 32 | ... | 13 47 | 14 03 | 14 11 | 14 32 | ... | 14 47 | 15 18 | 1 |
| 47 | Mestrino | | | ... | 12 56 | | ... | 13 55 | | | | ... | 14 55 | 15 25 | |
| 53 | Grisignano di Zocco | | | ... | 13 02 | | ... | 14 01 | | 14 22 | | ... | 15 01 | 15 31 | |
| 60 | Lerino | | | ... | 13 09 | | ... | 14 08 | | 14 28 | | ... | 15 08 | 15 37 | |
| 68 | VICENZA | a | 12 50 | ... | 13 15 | 13 50 | ... | 14 14 | 14 21 | 14 35 | 14 50 | ... | ✱15 14 | 15 44 | |
| | | p | 12 52 | ... | 13 25 | 13 52 | ✱13 58 | ... | 14 23 | 14 37 | 14 52 | ... | | ... | |
| 75 | Altavilla-Tavernelle | | | ... | 13 31 | | 14 03 | ... | | | | ... | 20482 feriale 2 cl. | ... | |
| 84 | Montebello | | | ... | 13 37 | | 14 11 | ... | | | | ... | | ... | |
| 90 | Lonigo | | | ... | 13 42 | | 14 16 | | | | | ... | | ... | |
| 95 | San Bonifacio | | | ... | 13 48 | | 14 22 | ♦ | | 14 54 | | ... | ✱15 48 | ... | |
| 104 | Caldiero | | | ... | 13 55 | | 14 29 | 2102 IR | | | | ... | 15 55 | ... | |
| 110 | S. Mart. Buonalbergo | | | ... | 14 00 | | 14 34 | | | | | ... | 16 00 | ... | |
| 116 | Verona P.V. | | | ... | 14 06 | | 14 40 | | | | | ... | 16 06 | ... | |
| 120 | VERONA P.N. | a | 13 24 | ... | 14 14 | 14 23 | ✱14 46 | 1 e 2 | 14 54 | 15 07 | 15 23 | ... | ✱16 13 | ... | |
| | | p | 13 27 | 13 50 | ... | 14 26 | ... | 14 50 | 15 00 | ✱15 15 | 15 26 | 15 50 | ... | ... | |
| 137 | Castelnuovo del G. | | | | ... | | ... | | | ... | | | ... | ... | |
| 142 | Peschiera del Garda | | | 14 06 | ... | 14 41 | ... | 15 06 | per | ... | | 16 06 | ... | . | |
| 156 | Desenzano-Sirmione | | 13 48 | 14 16 | ... | | ... | 15 16 | Mün- | ... | 15 47 | 16 16 | | . | |
| 160 | Lonato | | | | ... | | ... | | chen | ... | | | | . | |
| 167 | Ponte S. Marco-Calc. | | | | ... | | ... | | ... | ... | | | 10842 | | |
| 184 | BRESCIA | a | 14 05 | 14 35 | ... | 15 05 | ... | 15 35 | ... | ... | 16 05 | 16 35 | 2 cl. | | |
| | | p | 14 07 | 14 38 | ... | 15 07 | ... | 15 38 | ... | ... | 16 07 | 16 38 | 17 00 | | |
| 195 | Ospitaletto-Travagliato | | | | ... | | ... | | ... | ... | | | 17 08 | | |
| 201 | ROVATO | | | 14 50 | ... | | ... | 15 50 | ... | ... | | 16 50 | 17 20 | | |
| 207 | Chiari | | | 14 56 | ... | | ... | 15 56 | ... | ... | | 16 56 | 17 26 | | |
| 214 | Calcio | | | | ... | | ... | | ... | ... | | | 17 32 | | |
| 221 | Romano | | | 15 06 | ... | | ... | 16 06 | ... | ... | | 17 06 | 17 38 | | |
| 225 | Morengo-Bariano | | | | ... | | ... | | ... | ... | | | 17 43 | | |
| 230 | Vidalengo | | | | ... | | ... | | ... | ... | | | 17 49 | | |
| 234 | TREVIGLIO | a | | 15 14 | ... | | ... | 16 14 | ... | ... | | 17 14 | 17 5 | | |
| | | p | | 15 16 | ... | | ... | 16 16 | ... | ... | | 17 16 | 17 5 | | |
| 240 | Cassano d'Adda | | | | ... | | ... | | ... | ... | | | 18 | | |
| 242 | Trecella | | | | ... | | ... | | ... | ... | | | 18 | | |
| 247 | Melzo | | | | ... | | ... | | ... | ... | | | 18 | | |
| 251 | Vignate | | | | ... | | ... | | ... | ... | | | 18 | | |
| 254 | Pioltello-Limito | | | | ... | | ... | | ... | ... | | | 18 | | |
| 263 | Milano Lambrate | a | | 15 36 | ... | | ... | 16 36 | ... | ... | | 17 36 | 1 | | |
| – | Milano Greco Pirelli | a | | | ... | | ... | | ... | ... | | | | | |
| – | Milano P. Garibaldi | a | | | ... | | ... | | ... | ... | | | | | |
| 267 | MILANO C. | a | 14 55 | 15 45 | ... | 15 55 | ... | 16 45 | ... | ... | 16 55 | 17 45 | | | |

♦ Treno **60** - MONTEVERDI — Venezia-Milano-Domodossola-Brig-Gèneve — Venezia-Domodossola-Bas
Treno **86** - TIEPOLO — Venezia-Verona-Brennero-München.
Treno **354** - CANALETTO — Venezia-Milano-Chiasso-Zürich. — I viaggiatori in possesso di biglietto per re zioni internazionali sono ammessi senza il pagamento del supplemento Intercity.
Treno **622** - ALFIERI — Venezia-Milano-Torino.
Treno **626** - TIGULLIO — Venezia-Milano-Genova-La Spezia.
Treno **632** - CYCNUS — Venezia-Milano-Genova-Ventimiglia.

## ALLA BIGLIETTERIA DELLA STAZIONE

### ☺ Dialogo n. 2

QUAL È IL PROSSIMO TRENO PER MILANO?

▲ Qual è il prossimo treno per Milano?
▼ È l'Intercity (IC) delle 14:26.
▲ Devo pagare il supplemento rapido?
▼ Sì, vediamo... per una percorrenza di centocinquanta chilometri è di 7,00 euro in prima classe e di 4,00 euro in seconda classe.
▲ È obbligatoria la prenotazione?
▼ Per questo treno no.
▲ Bene, allora mi dia un biglietto per Milano, seconda classe, solo andata.
▼ Sono 10,00 euro... ma si affretti perché il treno è già arrivato al binario 6 e sta per partire.

## IN TRENO

... C'È UN POSTO LIBERO?

### ☺ Dialogo n. 3

▲ Scusi, c'è un posto libero in questo scompartimento?
▼ Sì, è libero quello vicino al finestrino.
▲ Oh, bene. Anche lei va a Milano?
▼ Sì, per motivi di lavoro.
▲ Ci va spesso?
▼ Ogni lunedì.
▲ Sa dov'è la toilette?
▼ In fondo al corridoio, a sinistra.
▲ Grazie. Può tenere il posto occupato per me finché non ritorno?
▼ Certo signora, stia tranquilla.

### ✎ 13 - Ordina e riscrivi

1 - partire il sta si per treno affretti perché. ....................................................
2 - scompartimento c'è questo in posto? ....................................................
3 - al in corridoio toilette fondo la è. ....................................................
4 - per tengo lei posto questo occupato. ....................................................

## Si dice

✔ **Qui** c'è il treno.

✔ **Qua** c'è il binario 7.

✔ **Là** c'è l'edicola.

✔ **Lì** ci sono le valigie.

## Si dice

✔ **Sopra** i tavolini ci sono i bicchieri.

✔ **Di fianco** al bar c'è l'edicola.

✔ **Di fronte** al signore in piedi c'è una signora seduta.

✔ **Sotto** il tavolo di sinistra c'è un gatto nero.

✔ **Davanti** alla mamma ci sono i bambini.

✔ **Dentro** l'edicola c'è il giornalaio.

✔ L'albero è **a destra** dell'edicola.

✔ La valigia è **accanto** al tavolo.

###  14 - COMPLETA

*(sopra, a sinistra, fuori, a destra, sotto, davanti, dietro)*

1 - ............................ del bar e ............................ dell'albero c'è l'edicola.

2 - ............................ ai bambini c'è la mamma.

3 - I bambini sono ............................ l'ombrello.

4 - Le strisce pedonali sono ............................ al bar.

5 - ............................ del bar ci sono due tavolini.

6 - I tavolini sono .................... il marciapiede.

## LA BICICLETTA

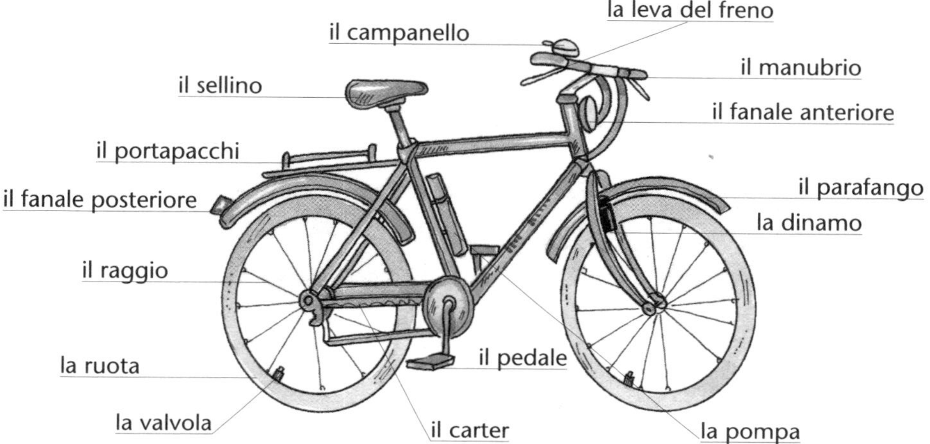


## REGOLE DI CIRCOLAZIONE

✔ I ciclisti devono procedere in fila e non affiancati.

✔ I ciclisti devono reggere il manubrio almeno con una mano.

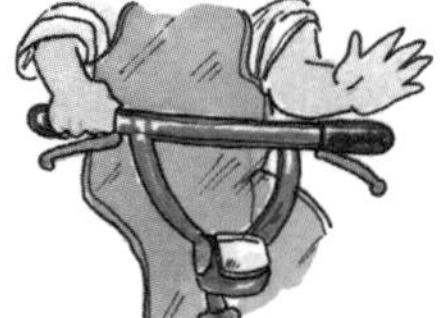

✔ I ciclisti non possono farsi trainare da un altro veicolo.

✔ I ciclisti non possono trainare veicoli o animali.

✔ La bicicletta deve avere freni, fanali e campanello funzionanti.

✔ I ciclisti non possono trasportare altre persone.

## LA MACCHINA

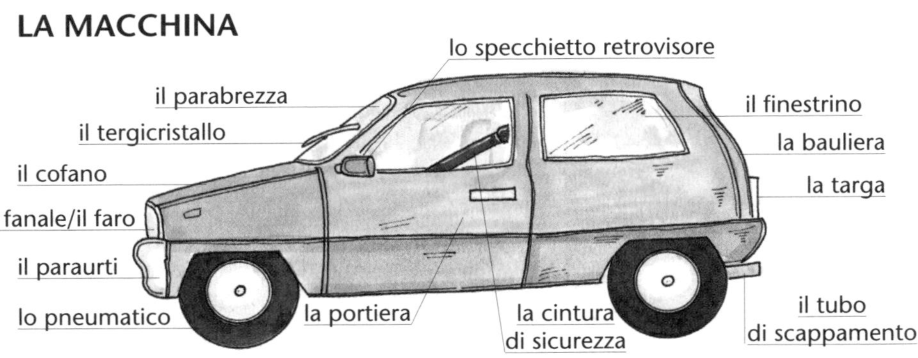


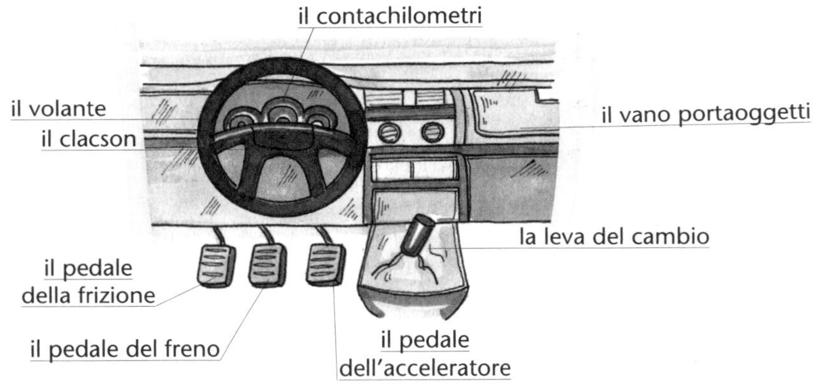


## AL DISTRIBUTORE DI BENZINA

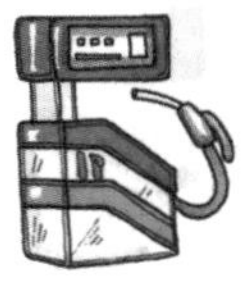

✔ Buongiorno, mi fa il pieno di **benzina**?

✔ Aggiunga anche un po' d'acqua al **radiatore**, grazie!

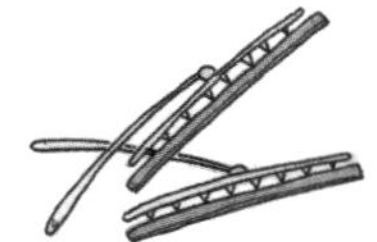

✔ Vorrei dei **tergicristalli** nuovi, me li può cambiare?

✔ Può controllare la pressione delle **gomme**?

✔ Per favore, mi controlla l'**olio**?

✔ Mi dà una pulita ai **vetri**, per piacere?

# DAL MECCANICO

✔ La **batteria** è scarica, bisogna cambiarla.

✔ Il **radiatore** perde.

✔ Le **candele** sono da cambiare.

✔ Si sente un rumore strano.

✔ C'è un **guasto** al motore.

✔ Ho una **gomma** a terra.

✔ La macchina non si mette in moto.

✔ Mi può fare un **preventivo**?

## I documenti dell'automobilista

✔ La **patente di guida**. Viene rilasciata dopo un esame di teoria e di guida a partire dall'età di 18 anni.
✔ Il **libretto di circolazione** o la **carta di circolazione**.
✔ Il certificato di **assicurazione** obbligatoria.
✔ Il certificato di proprietà o **foglio complementare**.
✔ Il certificato di pagamento della **tassa automobilistica** (**bollo**) annuale.

### 15 - VERO O FALSO?

| | V | F |
|---|---|---|
| 1 - La patente in Italia si può prendere a sedici anni. | V | F |
| 2 - L'assicurazione è obbligatoria. | V | F |
| 3 - La tassa automobilistica si paga ogni cinque anni. | V | F |
| 4 - Si può viaggiare in macchina senza il libretto di circolazione. | V | F |
| 5 - Il foglio complementare è il certificato di proprietà. | V | F |

## PRENOTARE UN VIAGGIO IN AEREO

### ☺ DIALOGO N. 4

▲ Buongiorno, ho prenotato un posto sul volo charter per Heraklion del 3 luglio, in partenza da Bologna. Vorrei una conferma.
▼ Mi dica il suo nome, prego.
▲ Gianni Forlati.
▼ Bene. Il decollo da Borgo Panigale è confermato per le ore 17 e dieci.
▲ A che ora devo presentarmi per il check-in?
▼ Due ore prima, alle 15 e dieci.
▲ Per che ora è previsto l'arrivo a Heraklion?
▼ Per le 20 e venti, ora locale.
▲ E il biglietto?
▼ Lo potrà ritirare due ore prima della partenza, all'aeroporto di Bologna, al banco assistenza della nostra agenzia.

## ALL'AEROPORTO

### ☺ DIALOGO N. 5

▲ Mi dia i suoi documenti, prego.
▼ Ecco il biglietto dell'aereo e la carta d'identità.
▲ Bene. Quanti bagagli ha?
▼ Una valigia grande e uno zaino da portare a mano. È possibile?
▲ Sì, se non pesa più di cinque chili.
▼ A quale cancello devo presentarmi per la partenza?
▲ Al cancello n. 16, ma prima deve passare al controllo della dogana. Ecco la sua carta d'imbarco. Buon viaggio!

| INDICATIVO PRESENTE CON VALORE DI FUTURO | | |
|---|---|---|
| io | parto | domani |
| tu | parti | il mese prossimo |
| Pablo | parte | fra una settimana |
| noi | partiamo | questa sera |
| voi | partite | tra poco |
| i nostri amici | partono | dopodomani |
| **STARE PER...** | | |
| io | sto per | andare via |
| tu | stai per | uscire di casa |
| Sika | sta per | prendere il treno |
| Anna e io | stiamo per | salire sull'autobus |
| tu e Marco | state per | attraversare la strada |
| i bambini | stanno per | tornare da scuola |

## 16 - TRASFORMA

1 - Esco per andare al cinema.
➔ *Sto per uscire per andare al cinema.*

2 - Partiamo per un viaggio.
➔ ................................................
................................................

3 - Ivo e Sara vengono da te.
➔ ................................................
................................................

4 - Amir torna a casa.
➔ ................................................
................................................

5 - Tu prendi il treno.
➔ ................................................
................................................

6 - Vado al supermercato.
➔ ................................................
................................................

**Si dice**

- ✔ Mi sono messo in viaggio alle 6.
- ✔ Sono in viaggio da tre ore.
- ✔ Farò un viaggio in Cina.
- ✔ Hai fatto un buon viaggio?
- ✔ Com'è andato il viaggio?
- ✔ Domani parto per un viaggio in Kenia.
- ✔ Luca e Ada sono in viaggio di nozze.
- ✔ John è in viaggio di lavoro.

# UNITÀ 6: I SERVIZI

## L'UFFICIO POSTALE

CONTI CORRENTI POSTALI
Ricevuta del versamento
€
Euro
sul C/C N.
intestato a
eseguito da
residente in

CONTI CORRENTI POSTALI
Certificato di accreditamento del versamento
€
Euro
sul C/C N.
intestato a
Causale del pagamento
eseguito da
residente in
via
CAP
Località
Importante: non scrivere nella zona sottostante!

il modulo di conto corrente postale
il bollettino per i versamenti

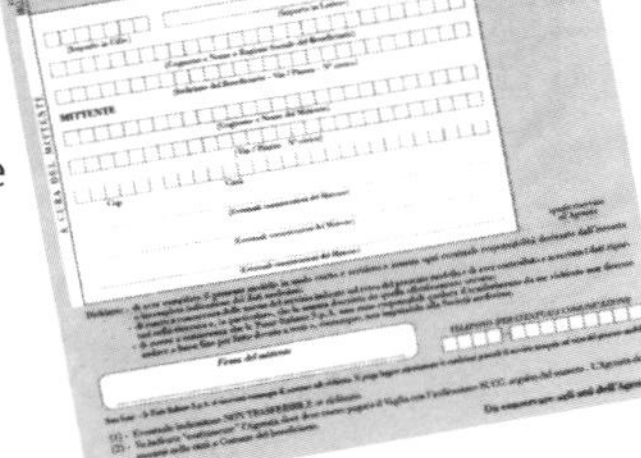
Poste Italiane S.p.A.
RICHIESTA VAGLIA INTERNO
MITTENTE

il vaglia postale

Poste Italiane
ATTI UFFICIO
Accettazione RACCOMANDATA
Compilare, a cura del mittente, a macchina o in carattere stampatello
DESTINATARIO
MITTENTE
Espresso
Via aerea
A.R.
Assegno €

il modulo
per la raccomandata

il postino

il furgone postale

lo sportello

la coda
la fila

l'impiegata postale

la cassetta postale
la buca delle lettere

## ALL'UFFICIO POSTALE

### ☺ DIALOGO N. 1

▲ Buongiorno, vorrei spedire una lettera raccomandata e ritirare un pacco.
▼ Bene. Per la raccomandata deve compilare questo modulo. Vuole anche la ricevuta di ritorno?
▲ No. Grazie. Non mi serve.
▼ Potrei vedere l'avviso per ritirare il pacco?
▲ Purtroppo l'ho dimenticato a casa.
▼ Allora io non posso consegnare il pacco.

VORREI SPEDIRE UNA LETTERA

PREGO, SIGNORA

### ☺ DIALOGO N. 2

▲ Prego, signora, tocca a lei.
▼ Dovrei mandare dei soldi a mio figlio in Francia.
▲ Vuole spedire un vaglia?
▼ Non so. Non sono molto pratica. Lei cosa dice?
▲ Sì. È la cosa migliore. Ecco il modulo da riempire.
▼ Oh, ma non capisco niente. Mi potrebbe aiutare lei, per favore?

### ✎ 1 - COMPLETA

*(il bollo, l'abbonamento, lettere raccomandate, pazienza, una coda, un pacco)*

Anche stamattina all'Ufficio Postale c'è ............................... lunghissima. Devo spedire ............................... e ritirare delle ....................................................... . Poi devo pagare ............................... dello scooter e ....................................... alla rivista 'Arte 3'. Ci saranno almeno quindici persone davanti a me: devo avere molta ...............................!

# LA BANCA

il versamento

gli sportelli bancari

il prelievo

lo sportello bancomat

la carta di credito

il numero della carta

il titolare della carta

la scadenza

il bancomat

il nome della banca

l'assegno circolare

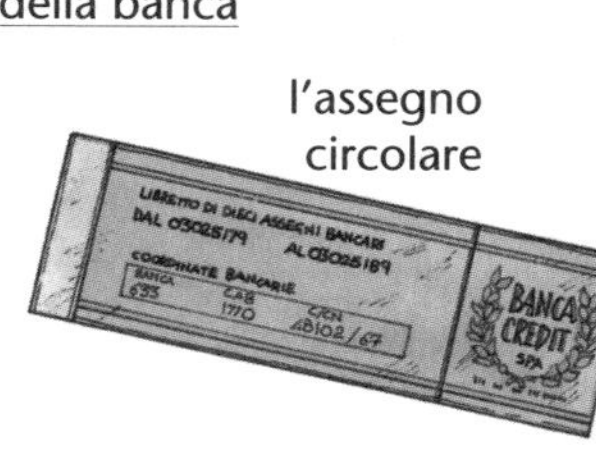


l'assegno bancario

il luogo e la data di emissione

il numero di conto corrente

il nome della banca

l'importo

il beneficiario

la firma del titolare del conto corrente

# IN BANCA

VORREI VERSARE QUESTO ASSEGNO

## ☺ DIALOGO N. 3

▲ Buongiorno. Dica!
▼ Vorrei versare questo assegno sul mio conto corrente.
▲ Va bene, ma non è intestato.
▼ Cosa vuol dire?
Me lo può spiegare, per cortesia?
▲ Certamente. Vuol dire che se l'assegno è per lei, qui deve esserci il suo nome.
▼ Lo scrivo subito. Va bene adesso?
▲ No, non ancora. L'assegno non è girato.
▼ Povera me! Cosa devo fare?
▲ Semplicemente firmare dietro dove è scritto GIRATE.
▼ Capisco. Mi scusi, ma sa, è la prima volta.

MI SERVE UN PRESTITO

IL MIO C/C MI DÀ
IL 2% DI INTERESSI
2%

CON UN MUTUO

## 2 - VERO O FALSO?

Francisco e Carmen sono arrivati in Italia cinque anni fa. Hanno trovato una casa in affitto e un lavoro e poi hanno fatto venire anche i loro due figli. Ora vorrebbero acquistare un appartamento, ma i loro soldi non bastano. Andranno in banca per chiedere un mutuo. Lo pagheranno in quindici anni, con delle rate mensili.

| | | |
|---|---|---|
| 1 - Francisco e Carmen sono venuti in Italia alcuni anni fa. | V | F |
| 2 - Hanno affittato una casa. | V | F |
| 3 - Sono senza lavoro. | V | F |
| 4 - Chiederanno un mutuo per comprare la macchina. | V | F |
| 5 - Pagheranno quindici rate mensili. | V | F |

## LA TABACCHERIA

la tabaccaia

un pacco di sale grosso

il sale fino

*i valori bollati:*
la marca da bollo
la carta bollata
il francobollo

l'accendino

un pacchetto di sigarette

i sigari

i fiammiferi

la carta da lettere

la cartolina illustrata

le buste per lettera

il biglietto della lotteria

il biglietto dell'autobus

# IN TABACCHERIA

## ☺ DIALOGO N. 4

▲ Desidera?
▼ Vorrei un pacchetto di sigarette e una scatola di fiammiferi.
▲ Che marca di sigarette vuole?
▼ Non so. Non sono per me. Mi dia le più leggere.
▲ Queste andranno bene. Ecco i fiammiferi. Nient'altro?
▼ No, grazie. Va bene così.

## ☺ DIALOGO N. 5

▲ Per favore, vai dal tabaccaio per me?
▼ Sì, dimmi che cosa ti serve.
▲ Compera un francobollo da 41 centesimi e spedisci questa lettera!
▼ D'accordo! Ora vado.
▲ Fai presto, corri! Il tabaccaio sta per chiudere il negozio!

| IMPERATIVO | |
|---|---|
| 1ª coniugazione **COMPER-ARE** | |
| **Compera** (tu) | il francobollo |
| **Comperi** (lei) | i giornali |
| **Comperiamo** (noi) | i fiammiferi |
| **Comperate** (voi) | i quaderni |
| **Comperino** (loro) | un garage |
| 2ª coniugazione **CORR-ERE** | |
| **Corri** (tu) | a casa |
| **Corra** (lei) | più forte |
| **Corriamo** (noi) | via di qui |
| **Correte** (voi) | da quella parte |
| **Corrano** (loro) | subito fuori |
| 3ª coniugazione **SPED-IRE** | |
| **Spedisci** (tu) | un vaglia |
| **Spedisca** (lei) | quelle lettere |
| **Spediamo** (noi) | subito tutto |
| **Spedite** (voi) | una cartolina |
| **Spediscano** (loro) | il pacco a me |

## ✎ 3 - CONIUGA

Fatima, per cortesia, quando esci (portare) *porta* fuori la spazzatura, (accompagnare) .................... il cane al parco e (comperare) .................... il pane. (passare) .................... anche dal tabaccaio, (prendere) .................... un francobollo e (spedire) .................... questa lettera.
(Andare) .................... anche in banca: (pagare) .................... le spese condominiali e (chiedere) .................... il saldo del conto corrente.

# LA SCUOLA

gli organi collegiali

gli esami

i compiti

## La scuola in Italia

Scuola materna 3-5

Scuola primaria 6-10

Scuola secondaria di 1° grado 11-13

Scuola secondaria di 2° grado 14-18

Università 19-23

# A SCUOLA

## ☺ DIALOGO N. 6

▲ Ragazzi basta! Fate silenzio!
Tenete la bocca chiusa!
▼ Va bene, professoressa.
▲ Tom, vieni alla lavagna.
Scrivi il presente del verbo essere.
▼ Mmm ... io esso ... tu essi ...
▲ Tom! Non hai studiato la lezione, vero?
Prendi il libro, vai a pagina cinquantacinque e leggi.
▼ Io sono, tu sei, lui è ... non lo ricordavo proprio.

## DIALOGO N. 7

▲ State zitti! Non disturbate mentre il professore spiega.
▼ Sii più gentile quando parli con me, per piacere.
▲ Ma non capisco la lezione. Parlate sottovoce.
▼ Sappi che non stiamo chiacchierando.
Mirco mi aiuta nei compiti!
Se ti disturbiamo, vai vicino alla cattedra.
▲ D'accordo. Ma stasera paghi da bere per tutti.

| IMPERATIVO - *ESSERE, AVERE,* VERBI IRREGOLARI | | | | | | |
|---|---|---|---|---|---|---|
| **ESSERE** | **AVERE** | **FARE** | **ANDARE** | **VENIRE** | **DARE** | |
| sii | abbi | fa' | va' | vieni | da' | (tu) |
| sia | abbia | faccia | vada | venga | dia | (lei) |
| siamo | abbiamo | facciamo | andiamo | veniamo | diamo | (noi) |
| siate | abbiate | fate | andate | venite | date | (voi) |
| siano | abbiano | facciano | vadano | vengano | diano | (loro) |

## ✎ 4 - TRASFORMA

1 - Abbia pazienza. ➔ *Abbiate pazienza.*
2 - Faccia attenzione. ➔ ....................
3 - Venga qui subito. ➔ ....................
4 - Dica tutta la verità. ➔ ....................
5 - Guidi con prudenza. ➔ ....................
6 - Dia una mano a Kofi. ➔ ....................
7 - Beva qualcosa con noi. ➔ ....................
4 - Sia forte. ➔ ....................

# DAL GIORNALAIO

## ☺ DIALOGO N. 8

▲ Scusi, ha l'ultimo numero di 'Airone'?
▼ No, non è ancora arrivato.
▲ Posso prenotarlo?
▼ Sì.
▲ Mi avvisa quando arriva?
▼ Certamente. E il quotidiano? Non lo vuole?
▲ Ah già, che distratta! Lo stavo dimenticando.

| PRONOMI PERSONALI COMPLEMENTO DIRETTO | | | |
|---|---|---|---|
| MI | **Mi** chiami stasera?<br>Chiama**mi** domani. | CI | Non chiamar**ci** troppo tardi.<br>**Ci** hanno visto. |
| TI | **Ti** chiamo dopo.<br>Devo veder**ti** subito. | VI | **Vi** invito a cena.<br>Non volevo spaventar**vi**. |
| LO/LA | Chiara non ha la macchina; accompagna**la** tu, per piacere.<br>Mio fratello vive a Firenze e non **lo** vedo spesso | LI/LE | **Le** conosci bene, quelle ragazze?<br>Ho buttato tutti i fogli senza nemmeno guardar**li**. |

##  5 - RISPONDI

1 - Puoi aspettarmi? *Sì, ti aspetto.*
2 - Ci capisci? No, non ..................................
3 - Mi senti? Sì, ............................................
4 - Avete visto Ada? *No, non l'abbiamo vista.*
5 - Vedi Giorgio e Luca oggi? No, non ..................................
6 - Inviti Maria e Alice alla festa? Sì, .................................
7 - Hai fatto l'esercizio? Sì, ............................................
8 - Ascoltate il professore? Sì, ............................................
9 - Ricordi la lezione? No, non ..................................
10 - Avete studiato i verbi? Sì, ............................................

## ☺ DIALOGO N. 9

| IMPERATIVO - FORMA NEGATIVA | | |
|---|---|---|
| **AVERE** | | |
| **non avere** | (tu) | paura |
| **non** abbia | (lei) | fretta |
| **non** abbiamo | (noi) | incertezze |
| **non** abbiate | (voi) | vergogna |
| **non** abbiano | (loro) | timore |
| **ESSERE** | | |
| **non essere** | (tu) | triste |
| **non** sia | (lei) | arrabbiato/a |
| **non** siamo | (noi) | imprudenti |
| **non** siate | (voi) | egoisti/e |
| **non** siano | (loro) | pessimisti/e |
| **DIMENTICARE** | | |
| **non dimenticare** | (tu) | la spesa |
| **non** dimentichi | (lei) | le chiavi |
| **non** dimentichiamo | (noi) | il giornale |
| **non** dimenticate | (voi) | il cane |
| **non** dimentichino | (loro) | la promessa |

▲ Ho incontrato Anna dal giornalaio.
Ci ha invitato a cena questa sera.
▼ Oh, bene. Sono contento di vederla.
E il giornale? L'hai comprato?
▲ Eccolo! Tieni.
▼ Grazie, sei gentile.
Voglio leggerlo prima di uscire.
▲ Non dimenticare che alle 10 devi essere dal medico.
▼ Non aver paura, sarò puntuale.

### *Si dice*

**PER CHIEDERE**
- ✔ Scusi, può darmi un'informazione?
- ✔ Per piacere mi dai una mano?
- ✔ Per favore potresti ascoltarmi?
- ✔ Per cortesia sa dirmi l'ora?
- ✔ Può aiutarmi, per piacere?

**PER RINGRAZIARE**
- ✔ Grazie!
- ✔ Molte/Tante/Mille grazie!

**PER RISPONDERE AI RINGRAZIAMENTI**
- ✔ Prego!
- ✔ Non c'è di che!
- ✔ Si figuri!
- ✔ È stato un piacere!

## ALL'ANAGRAFE

CAMBIERÒ CASA IL PROSSIMO GIUGNO

ANAGRAFE

MARZO

### ☺ DIALOGO N. 10

▲ Cambierò casa il prossimo giugno. Cosa devo fare?
▼ Deve richiedere il cambio di residenza. Compili questo modulo.
▲ Tutto qui?
▼ No. Aspetti nei prossimi giorni la visita dei vigili. Se tutto è in regola, avrà il nuovo certificato.
▲ Ho capito. Basta così?
▼ No, no. Questo è solo l'inizio. Dovrà cambiare la residenza sulla carta d'identità, sulla patente, su tutti i documenti.
▲ Ma ho già tanto da fare con il trasloco!
▼ E si ricordi del nuovo contratto per la luce, l'acqua, il gas, il telefono.

## *Si dice*

**PREPOSIZIONI SEMPLICI: DI, A, DA, IN, CON, SU, PER, TRA, FRA**

**DI**

✔ **Di** sera non esco.
✔ Ho un anello **d**'oro.
✔ Mi parli **di** te?

**A**

✔ È meglio che tu vada **a** casa.
✔ In dicembre torno **a** Casablanca.
✔ Spedisci questa lettera **a** Luca.

**DA**

✔ Veniamo **da** Tirana.
✔ Non lo vedo **da** tre mesi.
✔ Dove sono le tue scarpe **da** tennis?
✔ Cenate **da** noi stasera!

**IN**

✔ Perché sei **in** Italia?
✔ **In** aprile scade la sua patente.
✔ Vado a Roma **in** treno.

**CON**

✔ Veniamo in vacanza **con** te.
✔ Parlami **con** gentilezza!
✔ Partiranno **con** l'aereo.

**SU**

✔ Scriva **su** questo modulo!
✔ Ho letto un libro **su** Gandhi.
✔ È un vestito fatto **su** misura.

**PER**

✔ Un regalo **per** te!
✔ Passiamo **per** Piazzale Roma.
✔ **Per** maggio avrò finito il lavoro.
✔ **Per** colpa tua ho perso il treno.

**TRA/FRA**

✔ Parto **fra** tre giorni.
✔ Il mio paese è **tra** Firenze e Pisa.
✔ **Tra** di noi c'è grande affetto.

# I CERTIFICATI ANAGRAFICI

- La **carta d'identità** è un documento di riconoscimento.
- Il **certificato di nascita** dice quando e dove è nata una persona.
- Il **certificato di residenza** dice in quale luogo abita una persona.
- Lo **stato di famiglia** dice quali sono le persone che fanno parte della famiglia.

**PREPOSIZIONI ARTICOLATE**

| | IL | I | LO/L' | GLI | LA/L' | LE |
|---|---|---|---|---|---|---|
| DI | del | dei | dello/dell' | degli | della/dell' | delle |
| A | al | ai | allo/all' | agli | alla/all' | alle |
| DA | dal | dai | dallo/dall' | dagli | dalla/dall' | dalle |
| IN | nel | nei | nello/nell' | negli | nella/nell' | nelle |
| CON | col | coi | -- | -- | -- | -- |
| SU | sul | sui | sullo/sull' | sugli | sulla/sull' | sulle |

## *Si dice*

- ✔ Gli uffici **dell'**anagrafe sono chusi.
- ✔ Mi piace il colore **delle** sue scarpe.
- ✔ Questa borsa è **della** zia.
- ✔ Ho sentito il canto **degli** uccelli.

- ✔ Devi tornare **all'**ingresso.
- ✔ Porto un regalo **ai** miei nonni.
- ✔ Vado **al** cinema.
- ✔ Scrivo **agli** amici di scuola.

- ✔ Prendo un vestito **dall'**armadio.
- ✔ Andiamo **dai** nonni.
- ✔ Ho saputo la notizia **dal** vicino.
- ✔ Sono andato via presto **dalla** festa.

- ✔ **Nella** nostra scuola c'è molta luce.
- ✔ Mi laureo **nel** mese di giugno.
- ✔ Guardami **negli** occhi!
- ✔ Metti troppe cose **nell'**armadio.

- ✔ È uscito **col** cane.
- ✔ Litiga sempre **coi** suoceri.

- ✔ Metta la firma **sulla** sua dichiarazione.
- ✔ **Sui** prati c'è ancora la neve.
- ✔ Gli piace andare **sulle** giostre.
- ✔ Abbiamo fatto una ricerca **sul** cinema italiano.

# IN QUESTURA

## ☺ DIALOGO N. 11

▲ Dica, signore... sto chiamando lei!
▼ Ah... me? Scusi, ero distratto... Vorrei rinnovare il mio permesso di soggiorno.
▲ Per quale motivo è in Italia?
▼ Sono venuto per turismo, ma adesso resto per motivi di lavoro.
▲ Lavora in regola?
Ha i documenti a posto?
▼ Sì. E vorrei far venire anche mia moglie.
▲ Allora deve fare richiesta di ricongiunzione familiare.
▼ Quanto dovrò aspettare?
▲ Per il suo permesso le rilascio la ricevuta. Torni fra venti giorni. Per sua moglie la pratica è più lunga.

## 6 - SCEGLI

1 - Il signore è venuto in Italia ...
a - per motivi di lavoro.
b - per ricongiungimento.
c - per turismo.

2 - Vuole rinnovare ...
a - il permesso di soggiorno.
b - la carta d'identità.
c - il passaporto.

3 - Chiede la ricongiunzione familiare con ...
a - la moglie.
b - i figli.
c - il marito.

4 - Il suo permesso di soggiorno sarà pronto ...
a - in venti minuti.
b - insieme a quello della moglie.
c - in venti giorni.

### Si dice

✔ Cerchi **me**?

✔ Sì, cerco **te.**

✔ Sto chiamando **lei!**

✔ La professoressa ha interrogato proprio **noi.**

✔ Prima ascoltiamo **voi,** poi sentiremo **loro.**

## PAGARE I SERVIZI

### DIALOGO N. 12

È ARRIVATA LA BOLLETTA DEL TELEFONO...

▲ Paul, è arrivata la bolletta del telefono!
▼ Ah, sì? E quanto dobbiamo pagare?
▲ 149,00 euro!
▼ È una cifra troppo alta per noi!
Qual è la scadenza per il pagamento?
▲ Il 17 maggio.
▼ Beh, d'ora in poi, Mary, cerchiamo di fare meno telefonate.

GUARDA QUESTA LETTERA...

### DIALOGO N. 13

▲ Sara, guarda questa lettera!
▼ Che cos'è, Roberto?
▲ È un avviso dell'azienda del gas. Dice che non abbiamo pagato la bolletta del mese scorso.
▼ Possibile?
▲ Eh, sì, ci siamo dimenticati.
Adesso dovremo pagare gli interessi di mora.
▼ Che cosa sono?
▲ Una multa per il ritardo nel pagamento.

### 7 - COMPLETA

*(con, del, del, dell', fra, nel, per, per)*

1 - Non ho pagato la bolletta ............ telefono.
2 - C'è un avviso .......... azienda del gas.
3 - Questo è un regalo .......... te.
4 - È una multa .......... il ritardo .......... pagamento.
5 - Vieni al cinema .......... noi?
6 - La scadenza .......... pagamento è .......... tre giorni.

### 8 - SCEGLI

1 - A Paul e Mary è arrivata...
a - una bolletta del gas molto alta.
b - la bolletta del telefono.
c - la bolletta della luce.

2 - Sara e Roberto devono pagare...
a - la bolletta della luce.
b - gli interessi sul mutuo.
c - una multa sulla bolletta del gas.

# Unità 7: gli acquisti

## Il centro commerciale

il negozio di tappeti
la profumeria
la scala mobile
l'ascensore
UNIO
CARPET

## Il supermercato

CASA
Chic
BANCOMA
l'esposizione di mobili
il manichino

## I negozi

le bancarelle del mercato
ALIMENTARI
Seta
FILO D' ORO
Occhi blu
Scarpa Shop
i negozi di generi alimentari: panificio, latteria, frutta e verdura, macelleria
i negozi per l'abbigliamento: boutiq merceria, calzature, intimo, tessut

# DOVE SI FANNO GLI ACQUISTI

i negozi per la casa: casalinghi, mobilificio, ferramenta, elettrodomestici

i negozi per la macchina: autosalone, autoricambi

# IN UN NEGOZIO DI ABBIGLIAMENTO

## ☺ Dialogo n. 1

▲ Prego, desidera?
▼ Vorrei provare una gonna come quella in vetrina.
▲ Questa?
▼ No, quell'altra.
▲ Che taglia porta?
▼ La taglia 46.
▲ Ecco, guardi... questa gonna è rossa come quella in vetrina, questa invece ha la stessa linea, ma è di tessuto fantasia. Quale preferisce?
▼ Quella rossa. Posso provarla?
▲ Sì, là c'è il camerino.

VORREI PROVARE UNA GONNA...

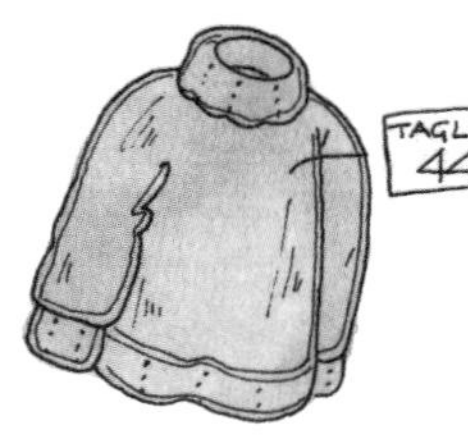
TAGLIA 44

## Le taglie

| Inglesi | 6 | 8 | 10 | 12 | 14 | 16 | 18 | 20 | 22 |
|---|---|---|---|---|---|---|---|---|---|
| Italiane | 38 | 40 | 42 | 44 | 46 | 48 | 50 | 52 | 54 |

| Aggettivi dimostrativi | | | | |
|---|---|---|---|---|
| | Questo | | Quello | |
| | Maschile | Femminile | Maschile | Femminile |
| Singolare | questo calzino | questa gonna | quel vestito<br>quello stivale<br>quell'ago | quella sciarpa<br>quell'occasione |
| Plurale | questi calzini | queste gonne | quei vestiti<br>quegli stivali<br>quegli aghi | quelle sciarpe<br>quelle occasioni |

## ☺ DIALOGO N. 2

VORREI ANCHE UNA CAMICETTA...

▲ La gonna mi va bene,
ma vorrei anche una camicetta.
▼ Preferisce questa a fiori
o questa gialla?
▲ Ho già una camicetta come questa
a fiori. Vorrei cambiare un po'.
▼ Allora prenda quella gialla.
▲ Va bene. Quanto costa?
▼ 25,00 euro.
▲ È un po' cara. Vorrei spendere meno.
▼ Mi dispiace, ma non abbiamo
camicette a prezzo inferiore. Se vuole aspettare, tra quindici giorni
ci sono i saldi di fine stagione.
▲ Bene, allora aspetto.

## I capi di abbigliamento

una felpa azzurra

una gonna a scacchi

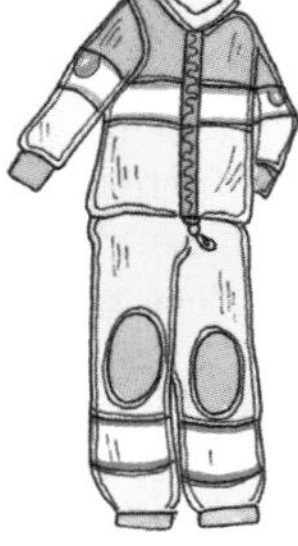
una tuta da ginnastica

un vestito nero da sera

una camicia a righe

una giacca blu doppio petto

un paio di pantaloni grigi tinta unita

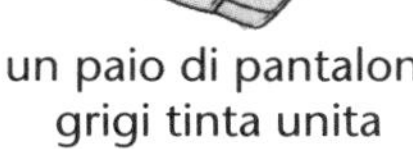

un maglione di lana verde

## ✎ 1 - VERO O FALSO?

| | | |
|---|---|---|
| 1 - La signora ha voglia di cambiare. | V | F |
| 2 - La signora vorrebbe una camicetta meno cara. | V | F |
| 3 - La signora compra la camicetta. | V | F |
| 4 - Ci sono i saldi tra quindici giorni. | V | F |

## LE BANCONOTE E LE MONETE

### I numeri dal 100 in poi

| | | | | | |
|---|---|---|---|---|---|
| 100 | cento | 130 | centotrenta | 30.000 | trentamila |
| 101 | centouno | 140 | centoquaranta | | ............ |
| 102 | centodue | 150 | centocinquanta | 31.000 | trentunomila |
| 103 | centotre | 150 | ............ | 32.000 | trentaduemila |
| | ............ | 200 | duecento | 33.000 | trentatremila |
| 110 | centodieci | 300 | trecento | | ............ |
| 111 | centoundici | 400 | quattrocento | 100.000 | centomila |
| 112 | centododici | 500 | cinquecento | 200.000 | duecentomila |
| 113 | centotredici | | ............ | 300.000 | trecentomila |
| | ............ | 1.000 | mille | | ............ |
| 120 | centoventi | 2.000 | duemila | 1.000.000 | un milione |
| 121 | centoventuno | 3.000 | tremila | 2.000.000 | due milioni |
| 122 | centoventidue | | ............ | 3.000.000 | tre milioni |
| 123 | centoventitré | 10.000 | diecimila | ............ | |
| | ............ | 20.000 | ventimila | 1.000.000.000 | un miliardo |

 **2 - COLLEGA**

| | |
|---|---|
| 1 - Trentaquattromilacinquecento | a - 321 |
| 2 - Centosettantamiladue | b - 5.300 |
| 3 - Cinquemilatrecento | c - 170.002 |
| 4 - Cinquecentomilaventidue | d - 6.200.000 |
| 5 - Sei milioni duecentomila | e - 500.022 |
| 6 - Trecentoventuno | f - 34.500 |

# MODALITÀ DI PAGAMENTO

**Pagare a rate**

✔ *Questo divano costa 1.030 euro. Può pagare in dieci rate mensili.*

Bene, 103 euro al mese non sono troppi per me.

**Pagare con il bancomat**

✔ *Non ho contanti. Posso pagare con il bancomat?*

Sì, digiti il numero del PIN.

**Dare un acconto e saldare un conto**

✔ *Ecco il suo computer. Lei ha dato un acconto di 51 euro. Il totale è 1.550 euro.*

Allora, per saldare il conto le devo 1.499 euro.

**Pagare in contanti**

✔ *Quanto costa questa lavatrice?*

410 euro, ma se paga in contanti c'è uno sconto del 5%.

- ✔ Ai nostri clienti facciamo dei prezzi di favore.
- ✔ I costi di produzione della frutta sono bassi, ma i costi di distribuzione sono alti.
- ✔ Quest'anno il costo della vita è aumentato.
- ✔ Nel negozio c'è il prezzo fisso: non si fanno sconti.
- ✔ Per questa automobile non deve pagare altro. Questo è il prezzo su strada, chiavi in mano.
- ✔ Questa camicetta costa molto / è cara / ha un prezzo alto.
- ✔ Questa camicetta costa poco / è economica / ha un buon prezzo.

# LE CALZATURE

✔ Preferisci le scarpe con il tacco alto o basso?

✔ Preferisci la suola di gomma o di cuoio?

✔ Preferisci una scarpa con i lacci o senza?

| INDICATIVO PRESENTE - VERBI IN -ISC-O | | |
|---|---|---|
| io | prefer-**isco** | i sandali |
| tu | prefer-**isci** | le scarpe nere |
| lui/lei | prefer-**isce** | gli stivali di pelle |
| noi | prefer-**iamo** | le ciabatte |
| voi | prefer-**ite** | gli scarponi di cuoio |
| loro | prefer-**iscono** | le pantofole di tessuto |

**Attenzione**

| | | |
|---|---|---|
| **preferire** | → | **preferisco** |
| **colpire** | → | **colpisco** |
| **finire** | → | **finisco** |
| **spedire** | → | **spedisco** |
| **capire** | → | **capisco** |
| **pulire** | → | **pulisco** |
| **stabilire** | → | **stabilisco** |

| IMPERATIVO - VERBI IN -ISC-O | |
|---|---|
| pul-**isci** (tu) | le tue scarpe |
| pul-**isca** (lei) | la sua stanza |
| pul-**iamo** (noi) | la nostra camera |
| pul-**ite** (voi) | i vetri della finestra |
| pul-**iscano** (loro) | il pavimento di casa |

## 3 - CONIUGA

1 - Voi che cosa (preferire) *preferite* fare questa sera?

2 - Io non (capire) .................... tutte le parole.

3 - (Spedire) .................... tu la lettera o la (spedire) .................... io?

4 - Questa storia (finire) .................... bene.

5 - Ada e Gino (finire) .................... di lavorare alle 18.

6 - Maria (preferire) .................... restare a casa perché è stanca.

7 - Tu (capire) .................... questo problema?

8 - Noi (finire) .................... di studiare.

# IN UN NEGOZIO DI TESSUTI

## ☺ DIALOGO N. 3

▲ Mi fa il conto?
▼ Due metri di seta a 20,00 euro il metro, due metri di fodera a 2,50 euro il metro. Sono 45,00 euro in tutto.
▲ Eccole 50 euro.
▼ A lei il resto e lo scontrino.
▲ Grazie. Buongiorno.
▼ Signora, ha dimenticato i 5,00 euro di resto!

## Unità di misura lineare

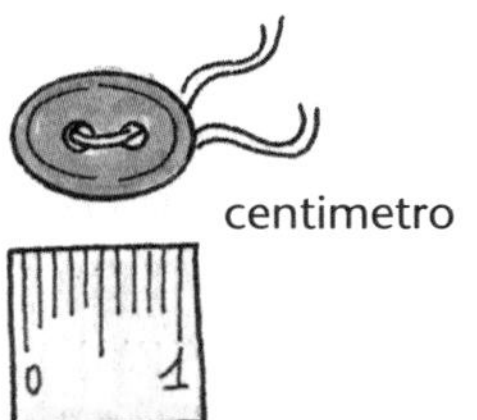

centimetro

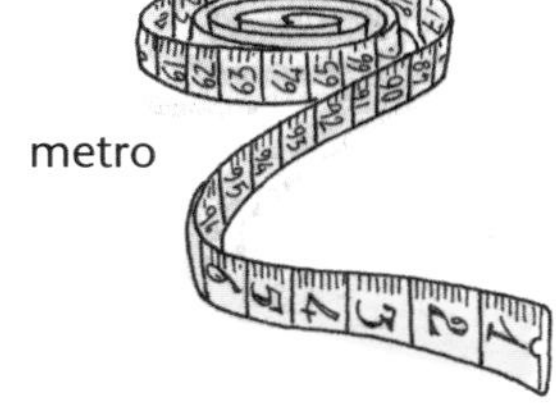
metro

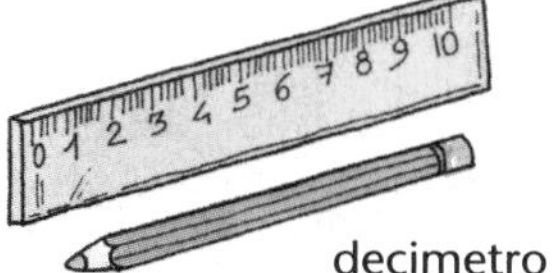

decimetro

## ✎ 4 - SOSTITUISCI

1 - Vorrei un metro di elastico alto <u>due</u> (*2*) centimetri.
Desidera qualcos'altro?
No, grazie. Quant'è?
Due euro e cinquanta centesimi (................................).

2 - Qual è il prezzo di questi cinque (....................) metri di stoffa?
Venticinque (....................) euro.

3 - Quanto costa questo maglione taglia quarantotto (....................)?
Costa cinquantaquattro (....................) euro.

4 - Sa dirmi il prezzo di queste scarpe numero trentasette (....................)?
Costano centotrentadue (....................) euro.

## IN MERCERIA

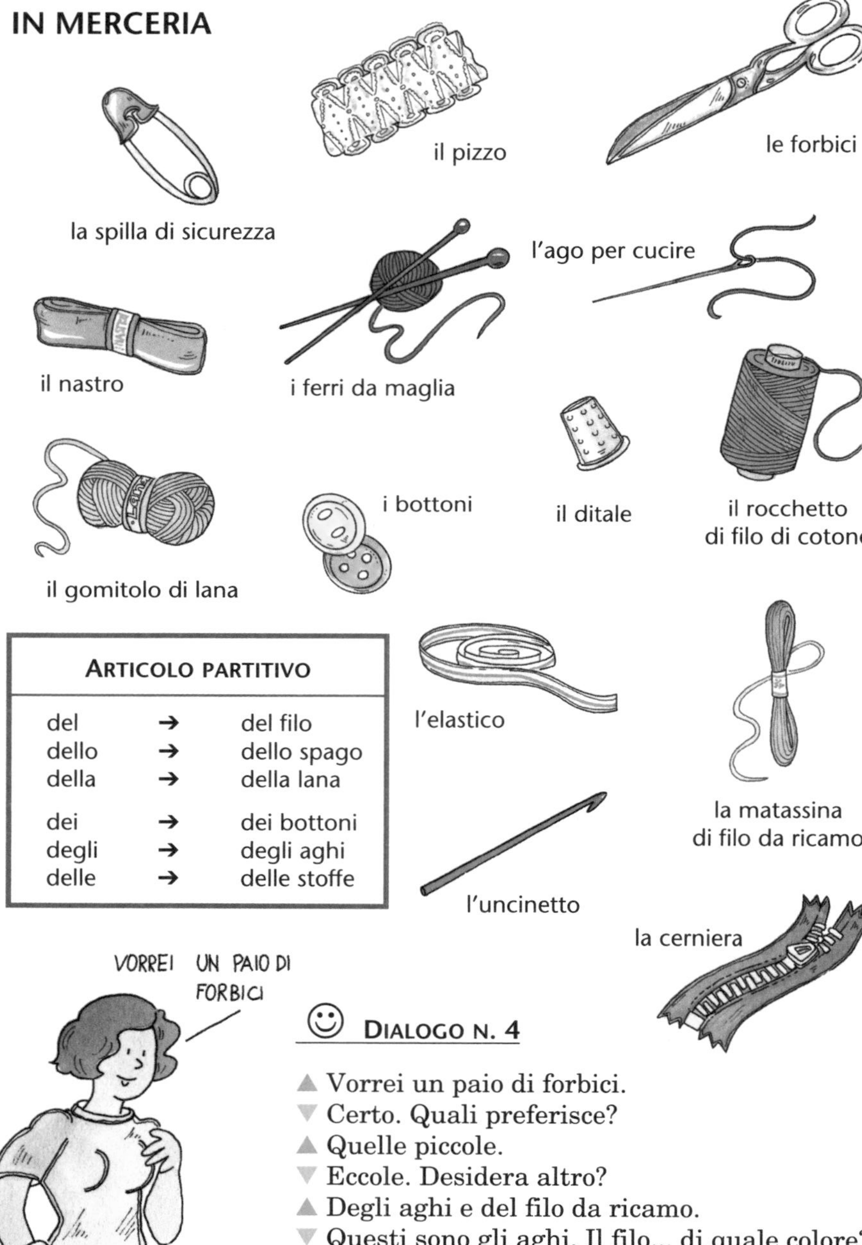


| ARTICOLO PARTITIVO | | |
|---|---|---|
| del | → | del filo |
| dello | → | dello spago |
| della | → | della lana |
| dei | → | dei bottoni |
| degli | → | degli aghi |
| delle | → | delle stoffe |

### ☺ DIALOGO N. 4

▲ Vorrei un paio di forbici.
▼ Certo. Quali preferisce?
▲ Quelle piccole.
▼ Eccole. Desidera altro?
▲ Degli aghi e del filo da ricamo.
▼ Questi sono gli aghi. Il filo... di quale colore?
▲ Una matassina rosa e una bianca.

## DAL FERRAMENTA

### ☺ DIALOGO N. 5

▲ Devo tinteggiare il mio appartamento. Mi dia della tempera lavabile bianca.
▼ Le servono anche dei pennelli?
▲ Sì, me ne dia un paio.
▼ Basta così?
▲ No, vorrei anche dello stucco, dei chiodi di varie misure e dei tappi a pressione.
▼ Vuole altro?
▲ No, grazie... ah, dimenticavo, ho bisogno anche di un martello e una pinza.

LE SERVONO DEI PENNELLI?
MARTELLI ORSO
TEM

il rullo

il martello

il chiodo

il cacciavite

la vite

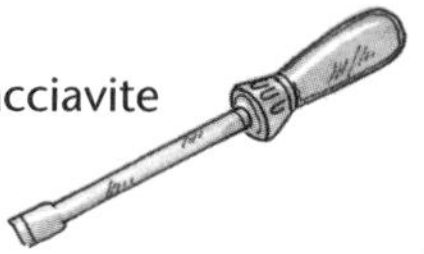

le pinze

il pennello

il barattolo di colore

il tappo a pressione

**Si dice**

- **Dei** chiodi / **un po' di** chiodi / **alcuni** chiodi.
- **Delle** viti / **un po' di** viti / **alcune** viti.
- **Dello** stucco / **un po' di** stucco.
- **Del** solvente / **un po' di** solvente.
- **Della** vernice / **un po' di** vernice.

### 5 - TRASFORMA

1 - Un po' di vernice ➔ *della vernice*
2 - Un po' di colore ➔ ..............................
3 - Un po' di tempera ➔ ..............................
4 - Un po' di stucco ➔ ..............................
5 - Un po' di viti ➔ ..............................
6 - Un po' di chiodini ➔ ..............................
7 - Un po' di bulloni ➔ ..............................
8 - Un po' di solvente ➔ ..............................

## I CONTENITORI

una scatola di detersivo

una lattina di birra

un vasetto di stucco

un tubetto di dentifricio

un secchio di tempera

un sacchetto di caramelle

una bottiglia di acqua

un pacchetto di fiammiferi

### 6 - COMPLETA

(*bottiglia, lattina, pacco, scatola, scatolina, vasetto*)

1 - Una .............................. di cioccolatini.
2 - Una .............................. di aranciata.
3 - Un .............................. di crema per il viso.
4 - Una .............................. di cerotti.
5 - Una .............................. di olio.
6 - Un .............................. di zucchero.

## ALL'AUTOSALONE

### ☺ DIALOGO N. 6

▲ Ho visto in esposizione una macchina azzurra di seconda mano.
▼ Certo. È una vera occasione. Ha avuto un solo proprietario e ha fatto quarantacinquemila chilometri. Vuole vederla?
▲ Sì, grazie.
▼ Guardi! È in ottime condizioni.
▲ Posso pagare a rate?
▼ Sì, può scegliere di pagare in dieci o venti rate mensili. Naturalmente cambia il tasso d'interesse.
▲ La ringrazio. Vorrei pensarci e tornare con mio marito.

### I colori

bianco, nero, rosso
giallo, azzurro, grigio, verde

### ✎ 7 - VERO O FALSO?

| | | |
|---|---|---|
| 1 - La signora è interessata a un'auto nuova. | V | F |
| 2 - L'auto ha avuto un solo proprietario. | V | F |
| 3 - L'auto ha fatto cinquantacinquemila chilometri. | V | F |
| 4 - È possibile pagare a rate. | V | F |

# UNITÀ 8: L'ALIMENTAZIONE

## I PASTI TRADIZIONALI DELLA FAMIGLIA ITALIANA

### Ore 7,30 – Prima colazione

caffè

caffellatte o cappuccino

tè

biscotti

pane, burro e marmellata

fette biscottate e miele

### Ore 13 – Pranzo

*Primo piatto:* pastasciutta

*Secondo piatto:* carne o pesce, contorno di verdura cruda o cotta

pane

*Dolce:* torta o gelato

*Frutta:* fresca di stagione

caffè

### Ore 20 – Cena

*Primo piatto:* minestra con brodo di carne o verdura e legumi

*Secondo piatto:* uova, formaggio, salumi affettati, contorno di verdure

pane

*Frutta:* fresca di stagione

caffè

## 1 - Sottolinea

**Trova e sottolinea i nomi di cibi e bevande.**

Quelli della pagina precedente sono pasti completi, ma le abitudini degli italiani a tavola sono spesso diverse. Poche persone consumano ogni giorno pasti così abbondanti: durante la settimana molti italiani mangiano un solo piatto, o il primo o il secondo. Invece per le feste in famiglia o quando ci sono ospiti si preparano anche un antipasto e un bel dolce. Le persone che, per motivi di lavoro rientrano a casa alla sera, spesso a pranzo mangiano un panino, un toast oppure una pizza. La mattina, inoltre, molti hanno l'abitudine di andare al bar a prendere un caffè o un cappuccino con la brioche. I bambini e i ragazzi fanno merenda nel pomeriggio con frutta, dolci o panini imbottiti.

✔ Faccio **colazione** con cappuccino e brioche

✔ A **pranzo** mangio una pizza

✔ A **merenda** mangio sempre un panino imbottito

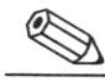

## 2 - Completa

*(piatto, pasti, casa, secondo, pizza, brioche, merenda, bar)*

1 - Ogni giorno in Italia i .................... sono tre: colazione, pranzo e cena.

2 - Molte volte mangiamo un solo ...................., o il primo o il ....................

3 - Rientro a ...................., la sera, dopo il lavoro.

4 - Spesso, quando non rientro a casa per pranzo, mangio una ....................

5 - La mattina vado al .................. e prendo un cappuccino con la ....................

6 - Nel pomeriggio i bambini fanno .................... con un po' di frutta.

## 3 - Collega

| | |
|---|---|
| 1 - Quanti sono i pasti tradizionali in Italia? | a - No, solo in occasioni importanti. |
| 2 - La prima colazione è dolce o salata? | b - Tre: colazione, pranzo, cena. |
| 3 - Gli italiani mangiano ad ogni pasto il dolce? | c - Frutta, dolci o panini imbottiti. |
| 4 - I bambini che cosa mangiano a merenda? | d - Un panino, un toast o una pizza. |
| 5 - Che cosa mangia chi è fuori per pranzo? | e - Dolce. |

# GLI ALIMENTI

## La carne

una fetta di prosciutto cotto

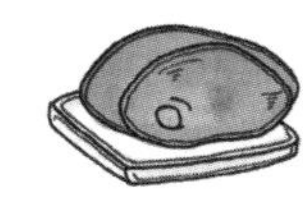

un pezzo di manzo da brodo

un petto di pollo

due salsicce

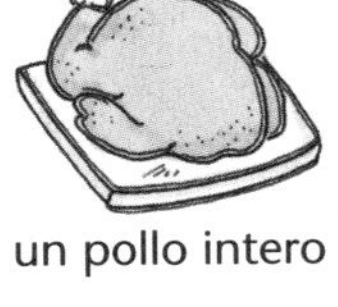

un pollo intero

una bistecca di manzo

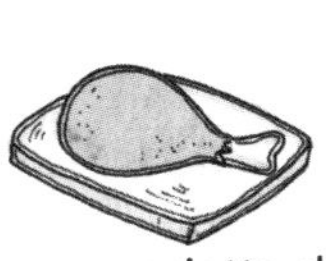

un cosciotto di tacchino

## Il pesce

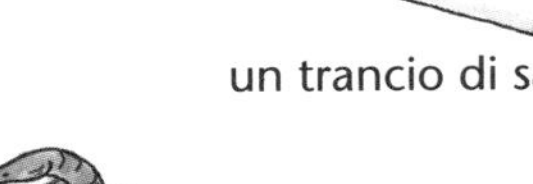

un trancio di salmone

la trota

il polpo

i gamberetti

le cozze sgusciate

le vongole con il guscio

il tonno in scatola

## Pane, pasta e...

la pasta

il riso

le fette biscottate

l'orzo

il pane bianco

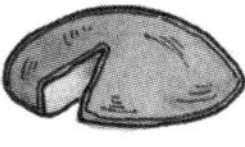

una pagnotta
di pane integrale

## Le verdure

un cespo di insalata

un mazzetto di carote

un po' di pomodori

due melanzane

una testa d'aglio

tre peperoni verdi

una cipolla e mezza

le zucchine con il fiore

delle patate

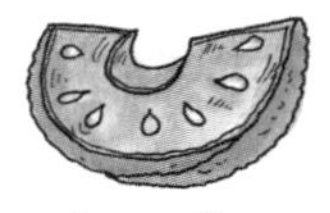
una fetta di zucca

### Si dice

- ✔ Capitare a fagiolo.
- ✔ Non aver sale in zucca.
- ✔ Avere il naso a patata.
- ✔ Un orologio a cipolla.
- ✔ Diventare rosso come un peperone.
- ✔ Un colore verde pisello.

## I legumi

un sacchetto di fagioli o di ceci secchi

i piselli freschi

i fagioli freschi

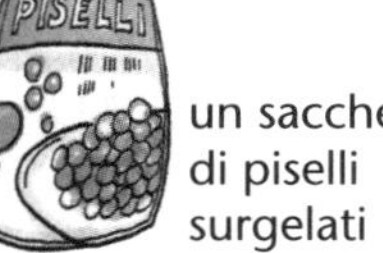

un sacchetto di piselli surgelati

## La frutta

una mela

un grappolo di uva

una banana sbucciata

un cestino di fragole

una manciata di ciliegie

un'arancia tagliata a metà

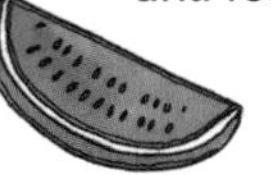
una fetta di anguria

una mezza pera

un limone intero

una pesca gialla

## I latticini

un litro di latte

una fetta
di formaggio gorgonzola

una caciotta

un pacchetto
di formaggini

uno spicchio di
formaggio grana
o parmigiano

un panetto di burro

una mozzarella

## Le bevande

una bottiglia
di acqua minerale

una lattina
di aranciata

un bicchiere
di birra

un litro di vino

un succo di frutta

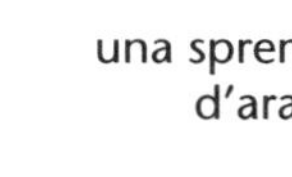

una spremuta
d'arancia

## Si dice

- ✔ Prendere il caffè senza zucchero / amaro.
- ✔ Mettere un cucchiaino di zucchero nel caffè.
- ✔ Spalmare il burro sul pane.
- ✔ Bere un bicchiere di vino ai pasti.

## I dolci

una torta

una tavoletta
di cioccolato

un vasetto
di miele

un pacco di biscotti

un cucchiaio
di zucchero

| AVVERBI DI TEMPO |
|---|
| ieri - oggi - domani |
| presto - tardi |
| mai - sempre |
| raramente - di solito - spesso |
| (non) ancora - (non) più - già |
| prima - adesso/ora - dopo/poi |

**Attenzione**

**IERI**

ieri mattina
ieri pomeriggio
ieri sera
ieri notte

**OGGI**

questa mattina/stamattina
questo pomeriggio
questa sera/stasera
questa notte/stanotte

**DOMANI**

domani mattina
domani pomeriggio
domani sera
domani notte

## 4 - COMPLETA

*(fa, fra, prima, stasera, mai, sempre)*

1 - Non mangio .......................... carne, perché sono vegetariano.

2 - .......................... festeggerò il mio compleanno con voi.

3 - Sono pronta .......................... dieci minuti. Aspettami!

4 - Siamo .......................... felici quando vieni a trovarci.

5 - Un mese .......................... ero ancora in Marocco.

6 - .......................... mi riposo un po', poi esco con te.

## 5 - ORDINA E RISCRIVI

1 - mai di hai zuppa mangiato la lenticchie?

..................................................................................

2 - a sempre colazione una di spremuta bevo arancia.

..................................................................................

3 - cucina mi italiana piace molto la.

..................................................................................

4 - al raramente ristorante andiamo mangiare a.

..................................................................................

5 - divertente in con andare è gli pizzeria amici.

..................................................................................

**Si dice**

✔ **Fra** cinque minuti è pronta la cena.

✔ **Fra** un anno verremo in Italia.

✔ Poco **fa** ho chiamato Carlos

✔ Sono partito dal Senegal due anni **fa**.

## NEGOZI E NEGOZIANTI

| | | |
|---|---|---|
| ✔ Il fruttivendolo | vende | frutta e verdura. |
| ✔ Il salumiere | vende | i salumi, i formaggi e altri generi alimentari. |
| ✔ Il macellaio | vende | la carne. |
| ✔ Il panettiere | vende | il pane. |
| ✔ Il pasticcere | vende | i dolci e le paste. |
| ✔ Il rosticcere | vende | cibi già cotti. |

| | | |
|---|---|---|
| ✔ L'insalata | si compra | nel negozio di frutta e verdura. |
| ✔ I salumi | si acquistano | in salumeria. |
| ✔ Il pollo | si vende | in macelleria. |
| ✔ Il pane | si compra | al panificio / forno. |
| ✔ Le torte | si vendono | in pasticceria. |
| ✔ Le patatine fritte | si trovano | in rosticceria. |

## DAL SALUMIERE

 **DIALOGO N. 1**

▲ A chi tocca?
▼ A me, grazie.
▲ Che cosa desidera?
▼ Vorrei un etto e mezzo di prosciutto crudo. Qual è il tipo più dolce?
▲ Questo di San Daniele.
▼ Lo può tagliare a fettine sottili?
▲ Certo. Le serve qualcos'altro?
▼ Sì, tre etti di formaggio grana, un vasetto di olive verdi e una scatola di pomodori pelati.
▲ Ecco fatto... e poi?
▼ Basta così, grazie.
▲ Questo è il suo conto. Per pagare si accomodi pure alla cassa. Buongiorno.

 **6 - COMPLETA**

*(panificio, pasticceria, etto, patate, salumiere, fruttivendolo)*

Ho comprato un ............................ di prosciutto dal ............................ e un chilo di ............................ dal ............................ Tra poco vado al ............................ a prendere un po' di pane e in ............................ a ritirare la torta che ho ordinato.

## DAL FRUTTIVENDOLO

### ☺ DIALOGO N. 2

SONO USCITO PER FARE LA SPESA.

▲ Sei arrivato, finalmente! Dove sei stato?
▼ Sono uscito per fare la spesa dal fruttivendolo, ma c'erano tante persone e ho fatto tardi.
▲ Che cosa hai comperato?
▼ Volevo prendere le verdure per preparare il sugo...
▲ Le hai trovate?
▼ I pomodori erano belli e maturi. Ne ho preso mezzo chilo. Anche l'aglio aveva un buon aspetto e ne ho comperato una testa.
▲ E il basilico c'era?
▼ Sì, ma non era bello, aveva le foglie scure e rovinate.
▲ E allora?
▼ Allora non l'ho voluto e invece del basilico fresco userò quello surgelato.

Si dice

- ✔ Dal fruttivendolo c'era il basilico.
- ✔ Dal salumiere non c'era la mortadella.
- ✔ In pasticceria c'erano molte persone.
- ✔ Le olive nere non c'erano.
- ✔ C'è dell'aglio nel sugo?
- ✔ In Italia ci sono molti bravi cuochi.
- ✔ Nella zuppa ci sono le carote e le cipolle.

| INDICATIVO IMPERFETTO | | | | |
|---|---|---|---|---|
| | ESSERE | | AVERE | |
| io | ero | affamato | avevo | fame |
| tu | eri | stanco | avevi | sonno |
| lui/lei | era | in ritardo | aveva | sete |
| noi | eravamo | insieme | avevamo | paura |
| voi | eravate | felici | avevate | freddo |
| loro | erano | tristi | avevano | caldo |

| INDICATIVO IMPERFETTO | | |
|---|---|---|
| 1ª coniugazione MANGI-ARE | | |
| io | mangi-**avo** | la torta |
| tu | mangi-**avi** | il pane |
| lui/lei | mangi-**ava** | un frutto |
| noi | mangi-**avamo** | insieme |
| voi | mangi-**avate** | a casa |
| loro | mangi-**avano** | molto |
| 2ª coniugazione PREND-ERE | | |
| io | prend-**evo** | la pasta |
| tu | prend-**evi** | il riso |
| lui/lei | prend-**eva** | gli spaghetti |
| noi | prend-**evamo** | le lasagne |
| voi | prend-**evate** | i ravioli |
| loro | prend-**evano** | l'orzo |
| 3ª coniugazione SERV-IRE | | |
| io | serv-**ivo** | il tè |
| tu | serv-**ivi** | il dolce |
| lui/lei | serv-**iva** | i biscotti |
| noi | serv-**ivamo** | il caffè |
| voi | serv-**ivate** | il gelato |
| loro | serv-**ivano** | i pasticcini |

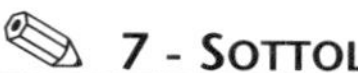

## 7 - SOTTOLINEA

**Trova e sottolinea i verbi al passato**

Mi chiamo Carmen, vengo dal Perù. Della cucina del mio Paese ricordo un dolce che a casa mia mangiavamo nelle occasioni importanti: la torta di cocco con datteri e mele. Mia madre prendeva datteri e mele, li tagliava a pezzetti, li metteva in una terrina e poi aggiungeva farina di grano e di cocco, zucchero, lievito, uova, succo di limone. Mentre questa pasta si cuoceva nel forno, preparava una crema all'uovo. Quando la torta era pronta, la metteva su un piatto, la copriva con la crema e la serviva ancora calda. Era una delizia!

| INDICATIVO IMPERFETTO - VERBI IRREGOLARI | | |
|---|---|---|
| **FARE** | → | facevo, facevi, faceva, facevamo, facevate, facevano |
| **DARE** | → | davo, davi, dava, davamo, davate, davano |
| **DIRE** | → | dicevo, dicevi, diceva, dicevamo, dicevate, dicevano |
| **BERE** | → | bevevo, bevevi, beveva, bevevamo, bevevate, bevevano |

## 8 - COLLEGA

| | | | |
|---|---|---|---|
| 1 - Prendevate | a - Mettere | 5 - Cuocevamo | e - Aggiungere |
| 2 - Mettevano | b - Coprire | 6 - Eri | f - Cuocere |
| 3 - Piaceva | c - Prendere | 7 - Aggiungevo | g - Avere |
| 4 - Coprivo | d - Piacere | 8 - Avevi | h - Essere |

# IN CUCINA

## Gli utensili

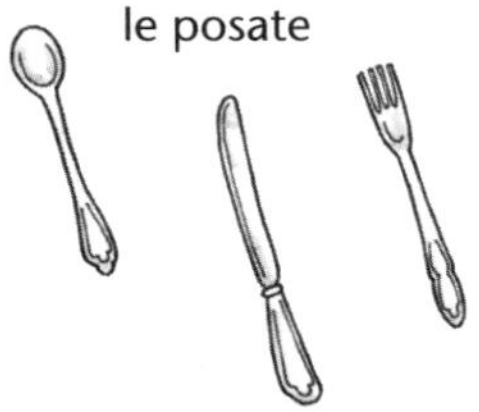

le posate

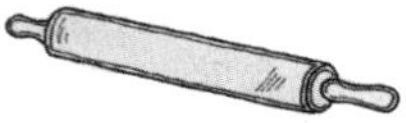

il mattarello

la pentola

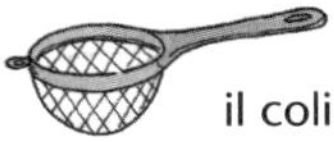

il colino

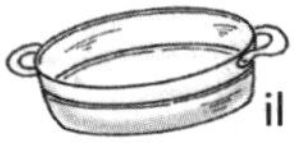

il tegame

la terrina

la padella

il cavatappi

il mestolo

il tagliere

l'imbuto

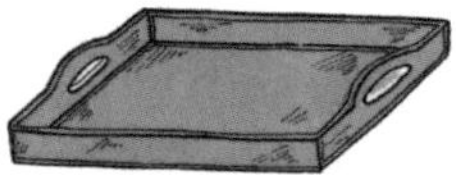

il vassoio

## La tavola apparecchiata

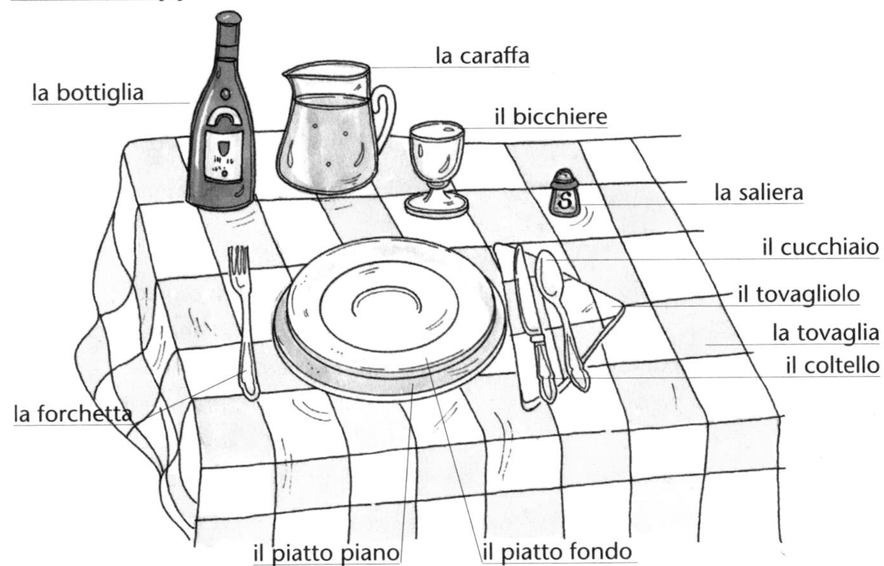

## MISURARE LA QUANTITÀ DI CIBI E BEVANDE

| | | | | | |
|---|---|---|---|---|---|
| **LIQUIDI** | → | centilitro (cl) | decilitro (dl) | litro (l) | ettolitro (hl) |
| **SOLIDI** | → | grammo (g) | etto (hg) | chilo (kg) | quintale (q) |

un litro di latte
1 litro

tre quarti di latte
3/4 di litro

mezzo litro di aranciata
1/2 litro

un quarto di vino
1/4 di litro

un chilo di limoni
1 kg

mezzo chilo di ciliegie
1/2 kg o 500 g

un etto/
cento grammi di burro
1 hg o 100 g

mezzo etto/
cinquanta grammi di farina
1/2 hg o 50 g

una tazza
di zucchero

un cucchiaio
di cacao

un bicchiere
di olio

una manciata
di mandorle

### 9 - TRASFORMA

1 - <u>Un etto</u> di formaggio → *Cento* grammi di formaggio
2 - Due etti di zucchero → ........................... grammi di zucchero
3 - Tre etti e mezzo di tè → ........................... grammi di tè
4 - Mezzo chilo di pasta → ........................... grammi di pasta
5 - Mezzo etto di lievito → ........................... grammi di lievito
6 - Un quintale di patate → ........................... chili di patate
7 - Sei etti di riso → ........................... grammi di riso
8 - Otto etti di pane → ........................... grammi di pane

# AL RISTORANTE

## ☺ DIALOGO N. 3

▲ Cameriere, scusi, c'è un tavolo libero? Siamo in due.
▼ Certo, potete accomodarvi qui, se vi piace, oppure là, vicino alla finestra.
▲ Grazie, va bene qui.
▼ Ecco il menù. Guardate pure con comodo, torno tra un po'.

SCUSI, C'È UN TAVOLO LIBERO?

*Dopo qualche minuto...*

▼ Bene, volete ordinare?
▲ Sì, ci porti due piatti di spaghetti al pomodoro, una bistecca di manzo ben cotta e una cotoletta alla milanese.
▼ Come contorno che cosa prendete?
▲ Un'insalata mista per tutti e due.
▼ E da bere?
▲ Un litro di acqua minerale naturale e mezzo litro di vino rosso, grazie.

MARIO ROSSI

## ☺ DIALOGO N. 4

▲ Prendete ancora qualcosa? Un dolce? Il caffè?
▼ No grazie, va bene così. Ci fa il conto?
▲ Sì, sono... 20,00 euro.
▼ Possiamo pagare con la carta di credito?
▲ Certo... ecco... faccia qui la firma... e questo è il suo scontrino.
▼ Grazie e arrivederci!

## ✎ 10 - COMPLETA

*(è, ordini, pago, fa, prendiamo)*

1 - Io ...................... con la carta di credito.

2 - Il cameriere ...................... il conto.

3 - Tu ...................... una bistecca di manzo.

4 - Come contorno noi ...................... l'insalata.

5 - Questo ...................... lo scontrino.

# UNITÀ 9: I MEDIA

## LA TELEVISIONE E LA RADIO

## IL GIORNALE

## IL TELEFONO

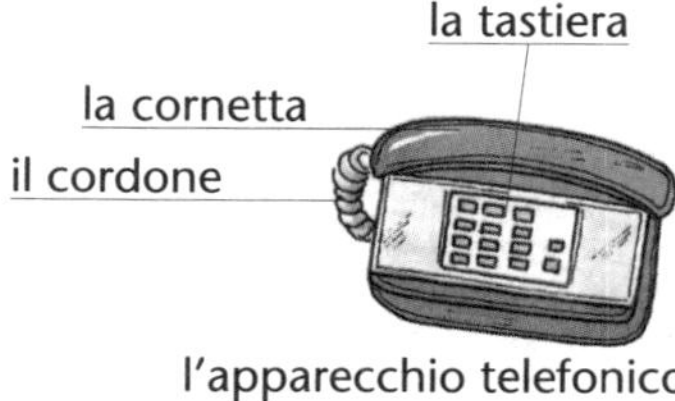

l'apparecchio telefonico

il cellulare /
lo smartphone

il portatile /
il cordless

la rubrica telefonica /
l'elenco telefonico

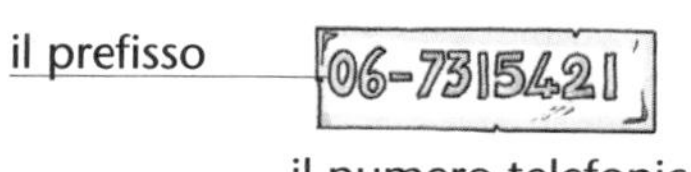

il numero telefonico

le pagine gialle

## IL COMPUTER

la stampante

il modem

chiavetta USB

# DAVANTI AL TELEVISORE

## Dialogo n. 1

▲ Accendi la TV. C'è la partita di calcio.
▼ Ah, è già cominciato il campionato?
▲ Sì, e quest'anno la nostra squadra è in serie A.
▼ Dov'è il telecomando?
▲ Eccolo là, sul tavolino.
▼ Su quale canale è la partita?
▲ Sul secondo.

## Dialogo n. 2

▲ Cosa c'è stasera in TV?
▼ Sul primo c'è un film di Charlie Chaplin e sul secondo uno spettacolo di varietà.

▲ E sul terzo?
▼ Non lo so. Devo leggere i programmi della serata.
▲ Dov'è il giornale di oggi?

### Si dice

✔ Tutte le sere guardo il **telegiornale**.
✔ Cosa dicono le **previsioni del tempo**?
✔ Questa sera sul primo canale c'è un nuovo **varietà**.
✔ Mi piacciono i **documentari**.

## 1 - Completa

(*cartoni animati, puniti, documentario, fratelli, compiti, d'accordo*)

Mike e Mabel sono due ........................ Nel pomeriggio, dopo i ........................ di scuola, guardano la televisione. Ieri Mike voleva vedere i ............... ............... e Mabel invece un ........................ sull'Africa. Non si sono messi ........................ Hanno litigato e gridato forte. La mamma li ha ........................ . Niente TV!

## LO SPORT IN TV

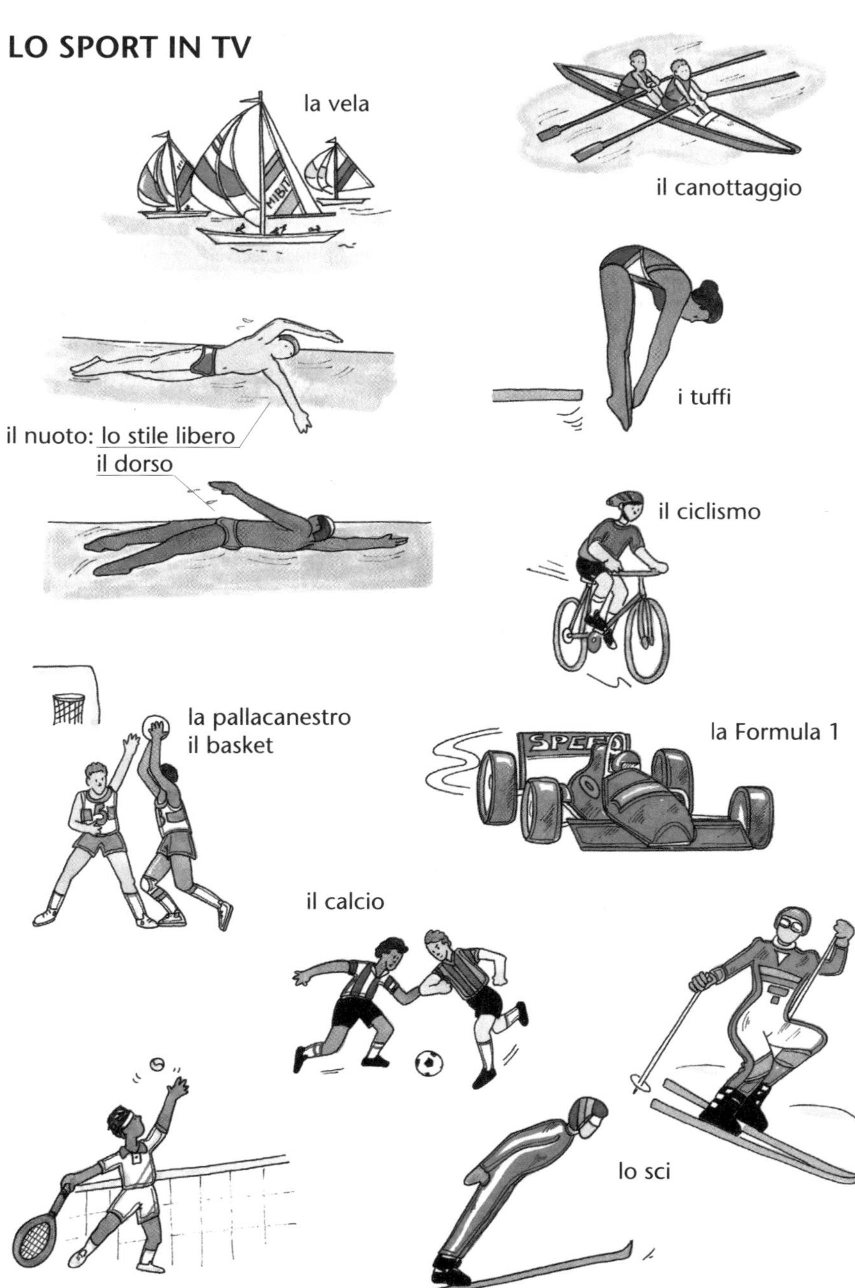
la vela
il canottaggio
il nuoto: lo stile libero
il dorso
i tuffi
il ciclismo
SPEED
la pallacanestro
il basket
la Formula 1
il calcio
lo sci
il tennis

# LO SPORT PIÙ AMATO DAGLI ITALIANI

## ☺ DIALOGO N. 3

TU SEI MAI ANDATO ALLO STADIO?

▲ Penso che il calcio sia lo sport più seguito in Italia.
▼ Sì, anch'io credo che nessun altro sport abbia la stessa importanza.
▲ Quasi tutti lo seguono alla TV, molti vanno allo stadio e ne parlano ogni giorno.
▼ Tu sei mai andato allo stadio?
▲ Ci sono stato domenica scorsa. Ma penso che non ci andrò più.
▼ Perché?
▲ Mi sembra che i tifosi siano troppo violenti.

| CONGIUNTIVO PRESENTE | | | | |
|---|---|---|---|---|
| | | **ESSERE** | | |
| Lei crede | che | io | **sia** | ammalato. |
| Penso | che | tu | **sia** | in errore. |
| Speriamo | che | lui/lei | **sia** | contento/a. |
| È meglio | che | noi | **siamo** | qui con te. |
| Ho paura | che | voi | **siate** | in pericolo. |
| Bisogna | che | loro | **siano** | più forti. |
| | | **AVERE** | | |
| È probabile | che | io | **abbia** | ragione. |
| Voglio | che | tu | **abbia** | una vita felice. |
| Mi pare | che | lui/lei | **abbia** | bisogno di denaro. |
| È importante | che | noi | **abbiamo** | fiducia in loro. |
| Ci sembra | che | voi | **abbiate** | troppo da fare. |
| Si dice | che | loro | **abbiano** | molti soldi. |

## ✎ 2 - COMPLETA

(*abbiano, sia, squadre, scommettono, stadi, siano*)

Si dice che gli italiani .................................. grandi tifosi delle loro ....................... di calcio e pare che .................................. l'abitudine di seguirle negli ....................... di tutta Italia. Inoltre .......................................... sui risultati delle partite e giocano la schedina. Peccato che ....................... così difficile vincere!

# SERATA IN CASA

## ☺ DIALOGO N. 4

▲ Oh, Giovanni, pensavo che fossi fuori a cena!
▼ No, stasera sono in casa, entra pure.
▲ Che fortuna, speravo proprio che tu avessi del tempo libero.
▼ Guardiamo insieme la TV?

| CONGIUNTIVO IMPERFETTO | | | | |
|---|---|---|---|---|
| | | **ESSERE** | | |
| Non sapeva | che | io | **fossi** | così gentile. |
| Mi pareva | che | tu | **fossi** | un operaio. |
| Voleva | che | lui/lei | **fosse** | puntuale. |
| Ho creduto | che | noi | **fossimo** | a posto. |
| Si pensava | che | voi | **foste** | a passeggiare. |
| Era possibile | che | loro | **fossero** | al lavoro. |
| | | **AVERE** | | |
| Pensava | che | io | **avessi** | la TV rotta. |
| Era così bello | che | tu | **avessi** | quel gattino. |
| Bisognava | che | lui/lei | **avesse** | più tempo. |
| Gli pareva | che | noi | **avessimo** | freddo. |
| Immaginavo | che | voi | **aveste** | già il biglietto. |
| Speravamo | che | loro | **avessero** | qualche idea. |

## 3 - CONIUGA

1 - Vorrei che la vostra camera (essere) *fosse* in ordine.

2 - Credevamo che (lui, essere) .................. fuori a cena questa sera.

3 - Desiderava che (voi, avere) .................. un buon lavoro in questo ufficio.

4 - Non pensavo che (lei, avere) .................. qualche probabilità di vincere.

5 - Speravano che (io, avere) .................. qualche giorno di ferie in agosto.

6 - Mi sembrava che (voi, essere) .................. molto stanchi ieri sera.

# ASCOLTARE LA RADIO

MI PIACE SENTIRE BENE LA MUSICA

## ☺ Dialogo n. 5

▲ Perché tieni il volume della radio così alto?
▼ Perché mi piace sentire bene la musica.
▲ Ma disturbi i vicini.
▼ Oh, sì, penso che tu abbia ragione! Ti va meglio così?
▲ No, mi dispiace. Ho un forte mal di testa.

| Pronomi personali indiretti (forme deboli) | | |
|---|---|---|
| (a me) | **Mi** | dici come ti chiami? |
| (a te) | **Ti** | auguro buone feste. |
| (a lui) | **Gli** | hai promesso un bel regalo. |
| (a lei) | **Le** | ho mandato una cartolina. |
| (a noi) | **Ci** | hanno offerto un aperitivo. |
| (a voi) | **Vi** | consiglio di andare al concerto. |
| (a loro) | | Mostra **loro** la nuova casa! |

*Attenzione*

Dim**mi** dove vai.
Fat**ti** un panino col formaggio.
Sta**gli** vicino.
Dal**le** una mano.

*Si dice*

✔ Accendere la radio/la TV.
✔ Spegnere la radio/la TV.
✔ Abbassare/alzare il volume.
✔ Mettere sul terzo canale/sul tre.
✔ Cambiare canale.

 4 - Sostituisci

1 - Helen (a me) *mi* ha dato il suo indirizzo.
2 - (A te) .................... ho parlato del mio nuovo lavoro?
3 - I miei genitori (a lui) .................... hanno prestato la macchina.
4 - (A lei) .................... piacerebbe venire con noi.
5 - Gli amici (a noi) .................... hanno detto del tuo arrivo.
6 - Indica (a loro) .................... la strada giusta.
7 - (A me) .................... fate questo piacere?

## REGISTRARE E TRASMETTERE

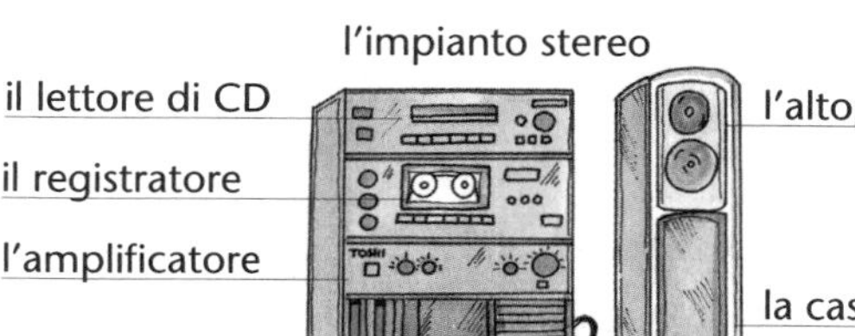

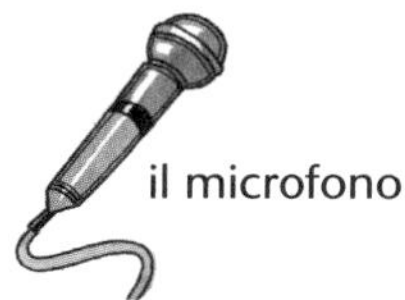

### ☺ DIALOGO N. 6

▲ Marie, ci hanno telefonato i signori Owusu. C'è una festa da loro stasera.

▼ Bene! So che hanno comperato un nuovo impianto stereo e credo che abbiano della buona musica.

▲ Ho detto loro che domani sera possono venire da noi a vedere un film.

### ✎ 5 - COLLEGA

1 - Mi puoi prestare del denaro?
2 - Ti telefono domani?
3 - Che cosa gli hai detto?
4 - Ti posso chiedere un favore?
5 - Ci fate vedere un video?
6 - Vi piace il mio nuovo CD?
7 - Hai dato loro le nuove chiavi?

a - Certamente. Le ho consegnate ieri.
b - Sì, ma lo abbiamo già ascoltato.
c - Sì, chiamami verso sera.
d - No, ci dispiace, non abbiamo tempo.
e - Tu mi puoi chiedere tutto.
f - No, io sono sempre senza soldi.
g - Non gli ho detto nulla.

# LEGGERE IL GIORNALE

## ☺ DIALOGO N. 7

▲ Hai comprato il giornale?
▼ No, l'edicola era chiusa.
▲ Hai detto a Giovanna di comprarlo in città?
▼ No, a lei non ho detto nulla.
A me non importa del giornale.
▲ Ma a te non interessano le ultime notizie?
▼ Sì, ma le ascolto al telegiornale.

## ☺ DIALOGO N. 8

▲ Che quotidiano leggi di solito?
▼ A me piace leggere il giornale della mia città.
▲ Anche a me. Non sapevo che avessi i miei stessi gusti!
▼ Mi interessa sapere quello che succede vicino a casa mia.
▲ Vuoi dire che a te piace la cronaca?
▼ Sì, proprio così.

| PRONOMI PERSONALI INDIRETTI (FORME FORTI) | |
|---|---|
| ✔ Questo libro serve **a me.** | Veniamo **con voi**. |
| ✔ Domani veniamo **da te.** | Non contate **su di noi**. |
| ✔ Signore, questi fiori sono **per lei**. | **A te** non va mai bene niente! |
| ✔ Non parlate male **di lei**. | Non mi fido **di loro**. |

##  6 - SOSTITUISCI

1 - Porto a te la rivista. ➔ *Ti* porto la rivista.
2 - A lui è piaciuto il film. ➔ ...... è piaciuto il film.
3 - Ho prestato la penna a lei. ➔ ...... ho prestato la penna.
4 - A me dispiace di non poter venire. ➔ ...... dispiace di non poter venire.
5 - A te telefono appena possibile. ➔ ...... telefono appena possibile.
6 - Dedichi un po' del tuo tempo a me? ➔ ...... dedichi un po' del tuo tempo?
7 - È meglio che tu dica a lui la verità. ➔ È meglio che tu ........ dica la verità.

## USI IL COMPUTER?

SAPETE USARE IL COMPUTER?

### ☺ DIALOGO N. 9

▲ Sapete usare il computer?
▼ Sì, ci piacciono soprattutto i giochi. E a voi?
▲ Sì, anche a noi.
▼ Allora facciamo subito una partita!
▲ Purtroppo oggi non abbiamo abbastanza tempo.
▼ E a Internet siete collegate?
▲ Non ancora.
▼ Possibile? Oggi tutti navigano in Internet.

### 7 - COMPLETA

(*potente, computer, posta, stampante, ufficio*)

Oggi hanno portato il nuovo ........................ anche a noi. È molto ........................ . Possiamo tenere la contabilità del nostro ............................ , mandare dei fax e avere una casella di ............................ elettronica. Manca solo la .............................. .

**Si dice**

- ✔ Accendere il computer.
- ✔ Spegnere il computer.
- ✔ Lavorare al computer / con il computer.
- ✔ Essere / Stare davanti al computer.
- ✔ Navigare in Internet.
- ✔ Collegarsi a Internet.

# AL TELEFONO

## ☺ Dialogo n. 10

▲ Dovrei fare una telefonata.
Mi puoi prestare la tua scheda?
▼ Volentieri, ma è quasi esaurita.
▲ Pronto, sono Juan. Ciao Felipe.
Ci vediamo stasera?
... Nooo, è caduta la linea!
▼ Mi dispiace, ma te lo avevo detto!

| | | Pronomi personali accoppiati |
|---|---|---|
| ME + | LO/ LA<br>LI / LE | ✔ Puoi dare a me la tua scheda telefonica?<br>Puoi dar**mela**? |
| TE + | LO/ LA<br>LI / LE | ✔ Non ti hanno detto di consegnare i documenti?<br>Non **te lo** hanno detto? |
| CE + | LO/ LA<br>LI / LE | ✔ Quando porti a noi quei pacchi?<br>Quando **ce li** porti? |
| VE + | LO/ LA<br>LI / LE | ✔ Quando vi daranno la risposta?<br>Quando **ve la** daranno? |

## *Si dice*

✔ Il telefono è libero,
ma non risponde nessuno.

✔ Ti ho chiamato,
ma il telefono era occupato.

✔ Mentre stavo chiamando Marco,
è caduta la linea.

✔ Volevo chiamare i miei amici a New York, ma non sono riuscito a prendere la linea.

## ☺ Dialogo n. 11

OH, NO!
SEGRETERIA TELEFONICA DEL NUMERO...

▲ Questa è la segreteria telefonica del numero 0623097701...
▼ Oh, no! Odio conversare con le segreterie telefoniche. Io dovevo parlare con Zara!
▲ ... potete lasciare un messaggio dopo il bip oppure inviare un fax.
▼ Meglio il fax. Glielo invierò dopo il segnale acustico.

LE PASSO L'INTERNO DESIDERATO
RESTI IN LINEA, IL NUMERO È OCCUPATO
NON RIESCO AD AVERE LA LINEA
UN MOMENTO PREGO
PRONTO?
NON C'È, PENSO CHE TORNERÀ TRA POCO
NO, QUESTO È LO 0287635101 HA FATTO IL NUMERO SBAGLIATO

| Pronomi personali accoppiati | |
|---|---|
| GLIELO | Hai portato a Frank il suo libro? **Glielo** porto immediatamente. |
| GLIELA | Non posso spedirle ora la lettera. **Gliela** spedirò domani. |
| GLIELI | Chi ha regalato i cioccolatini ai bambini? **Glieli** ho regalati io. |
| GLIELE | Dove hai messo le penne delle ragazze? **Gliele** ho messe sul tavolo. |

### Si dice

- ✔ Fare una telefonata.
- ✔ Chiamare qualcuno.
- ✔ Dare un colpo di telefono.
- ✔ Fare uno squillo.
- ✔ Sbagliare il numero.
- ✔ Lasciare un messaggio nella segreteria telefonica.

## ✎ 8 - Completa

(*mi, Mi, Gliela, Le, Le, la, me lo*)

Ieri era il compleanno di Marianna. .................. ho regalato una collana. .................. ho portata stamattina. Lei parlava al telefono con Patrick e non .................. ha visto. .................. ho lasciato la collana sul tavolo con un biglietto di auguri. Patrick è il suo nuovo fidanzato, ma lei non .................. aveva detto. Io vorrei invitar .................. a cena da me. .................. dirà di sì?

# UNITÀ 10: DIVERTIRSI

## COME OCCUPI IL TUO TEMPO?

STO SVOLGENDO UN' INDAGINE
SUL TEMPO LIBERO...

### ☺ DIALOGO N. 1

▲ Scusi, sto svolgendo un'indagine sul tempo libero. Posso farle qualche domanda?
▼ Sì, va bene.
▲ A che ora si sveglia al mattino?
▼ Alle sette.
▲ E si alza subito?
▼ Sì, mi alzo subito, mi lavo e mi vesto in fretta.
▲ Perché non può prepararsi con calma?
▼ Perché devo prendere l'autobus alle sette e trenta, se voglio arrivare in ufficio puntuale.
▲ A che ora finisce di lavorare?
▼ Finisco alle due. Torno a casa, pranzo, mi riposo un po', sbrigo qualche lavoro domestico oppure esco per fare la spesa.
▲ Non ha tempo libero?
▼ Sì, ma solo nel tardo pomeriggio.
▲ E come lo occupa?
▼ Mi piace leggere e ricamare. Inoltre due volte alla settimana, dalle sette alle otto, vado in palestra.

| VERBI PRONOMINALI - ALZARSI | | |
|---|---|---|
| INDICATIVO PRESENTE | | |
| io | mi alzo | alle 7 |
| tu | ti alzi | presto |
| lui/lei | si alza | prima di me |
| noi | ci alziamo | subito |
| voi | vi alzate | con fatica |
| loro | si alzano | sempre tardi |

### ✎ 1 - CONIUGA

1 - Io mi sveglio, tu ................................, Sara ................................, noi ................................, tu e Sika ................................, loro ................................

2 - Io mi lavo, tu ................................, lui ................................, tu e io ................................, voi tre................................, loro due ................................

3 - Io mi vesto, tu ................................, Luca ................................, noi ................................, voi due ................................, loro ................................

## ☺ Dialogo n. 2

▲ Ciao John, come mai sei al bar questa mattina?
▼ Ieri sera mi sono addormentato molto tardi, questa mattina non ho sentito la sveglia e ho dovuto prepararmi di corsa.
▲ Che cosa hai fatto di bello ieri sera?
▼ Ho invitato alcuni amici a cena e poi ci siamo divertiti a guardare un film comico alla televisione.
▲ E avete fatto tardi!
▼ Già! Ieri poi mi sono dimenticato di comperare il latte, così ho pensato di fare colazione al bar.
▲ A che ora passa il tuo autobus?
▼ Alle otto e dieci.
▲ Allora sbrigati, se non vuoi perderlo!

| Verbi pronominali - Divertirsi | | |
|---|---|---|
| Indicativo passato prossimo | | |
| io | mi sono divertito/a | molto |
| tu | ti sei divertito/a | ieri sera |
| lui/lei | si è divertito/a | al cinema |
| noi | ci siamo divertiti/e | con te |
| voi | vi siete divertiti/e | insieme a John |
| loro | si sono divertiti/e | a giocare a carte |

*Attenzione*

- ✔ Io devo preparar**mi**.
  **Mi** devo preparare
- ✔ Tu devi curar**ti**.
  **Ti** devi curare
- ✔ Clara deve pettinar**si**.
  **Si** deve pettinare
- ✔ Noi possiamo riposar**ci**.
  Noi **ci** possiamo riposare
- ✔ Voi volete lavar**vi**.
  Voi **vi** volete lavare
- ✔ Loro vogliono seder**si**.
  Loro **si** vogliono sedere.

## ✎ 2 - Trasforma

1 - I bambini vogliono divertirsi. → *I bambini si vogliono divertire.*
2 - Marco non deve arrabbiarsi. → ..................................................
3 - Devi riposarti! → ..................................................
4 - Potete fermarvi? → ..................................................
5 - Non vorrei stancarmi. → ..................................................
6 - Possiamo fermarci. → ..................................................

## COSA FAI NEL TEMPO LIBERO?

###  DIALOGO N. 3

▲ Qual è il tuo orario di lavoro?
▼ Al mattino dalle otto e mezza alle tredici, il pomeriggio dalle sedici alle diciannove e trenta.
▲ Quando hai un po' di tempo libero?
▼ Alla sera dopo cena, il sabato e la domenica, e tu?
▲ Io faccio l'orario continuato, dalle otto alle due, tutti i giorni compreso il sabato. Poi mi occupo dei miei due figli e dei lavori di casa.
Ho un po' di tempo libero il sabato pomeriggio e la domenica.
▼ Hai qualche passatempo?
▲ Sì, mi piace molto dipingere e, quando è possibile, andare al cinema e a teatro. E tu a che cosa ti dedichi nel tuo tempo libero?
▼ Allo sport, soprattutto. Vado in piscina due volte alla settimana, gioco a tennis con un mio amico ogni sabato e alla domenica faccio lunghe camminate in montagna.
▲ Beato te! Anch'io vorrei muovermi un po'. Forse l'anno prossimo mi iscrivo a un corso serale di ginnastica.

###  3 - SCEGLI

1 - La signora lavora...
a - dalle otto alle quattordici.
b - dalle otto alle quattro.
c - dalle otto alle dodici.

2 - Il signore ha tempo libero...
a - La sera e il sabato.
b - il sabato, la domenica, la sera.
c - domenica e sabato.

3 - I passatempi della signora sono...
a - il nuoto e il tennis.
b - la pittura, il cinema, il teatro.
c - la palestra e il teatro.

###  4 - CONIUGA

1 - Nel mio tempo libero io (dedicarsi) *mi dedico* alla lettura.

2 - La domenica Marta (occuparsi) .................... del suo giardino.

3 - I miei figli (divertirsi) .................... a collezionare francobolli.

4 - Come (impiegare) .................... tuo marito il suo tempo libero?

# ANDARE AL CINEMA

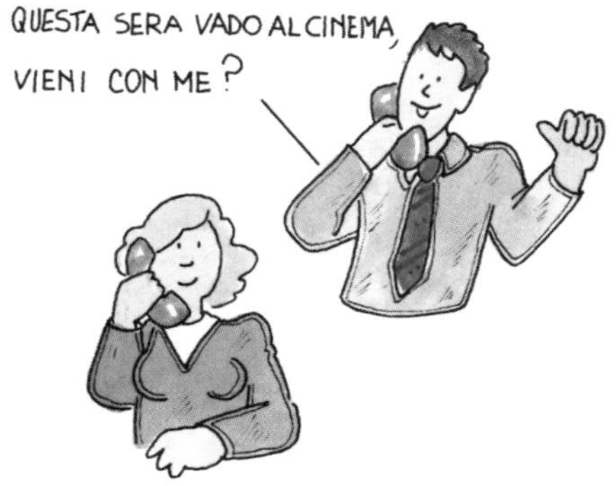
QUESTA SERA VADO AL CINEMA, VIENI CON ME?

## ☺ DIALOGO N. 4

▲ Pronto? Chi parla?
▼ Ciao Anna, sono Antonio.
▲ Ciao!
▼ Questa sera vado al cinema, vieni con me?
▲ Mi piacerebbe... Che film vai a vedere?
▼ 'La vita è bella', il film di Roberto Benigni. È in programmazione al cinema Ariston. Ti va?
▲ Sì. Sai gli orari degli spettacoli?
▼ C'è uno spettacolo alle otto e uno alle dieci e un quarto.
▲ Io preferirei quello delle otto.
▼ D'accordo! Allora ci troviamo alle otto meno dieci all'ingresso del cinema. Chi arriva per primo compra i biglietti. Ciao, a stasera!

## La sala cinematografica

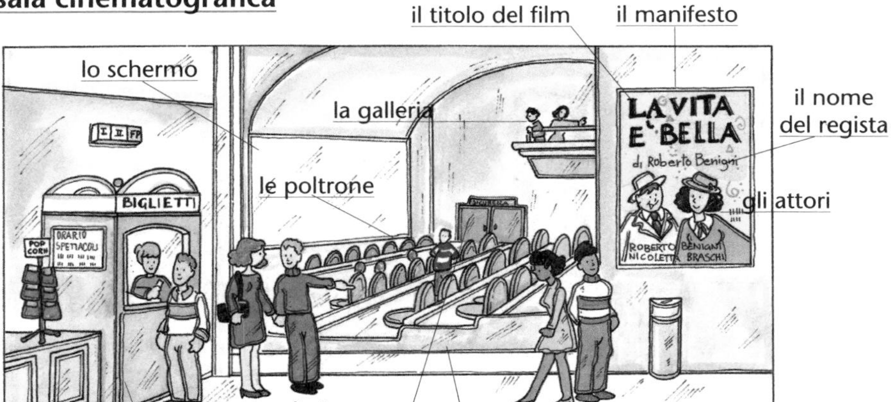
il titolo del film
il manifesto
lo schermo
la galleria
il nome del regista
le poltrone
gli attori
l'uscita di sicurezza
la biglietteria
la platea
BIGLIETTI
ORARIO SPETTACOLI
POP CORN
LA VITA E' BELLA
di Roberto Benigni
ROBERTO BENIGNI
NICOLETTA BRASCHI

**Un film può essere...**

- giallo
- poliziesco
- di avventura
- horror
- di fantascienza
- comico
- d'amore
- di guerra

## LA LETTURA

✔ Mi piace leggere tanti **giornali**.

✔ Leggo ogni giorno il **quotidiano**.

✔ Compero ogni settimana una **rivista di moda**.

✔ Mi divertono i **fumetti**.

✔ Ho letto un **romanzo d'amore**.

✔ Mi piacciono molto i **libri gialli**.

## IL LIBRO

## IN LIBRERIA

### ☺ DIALOGO N. 5

VORREI REGALARE UN BEL LIBRO...

▲ Vorrei regalare un bel libro a un amico. Può darmi un consiglio?
▼ Sì, certamente. Preferisce un romanzo, un libro di racconti, di poesie o altro?
▲ Vorrei un romanzo. Al mio amico piacciono gli scrittori sudamericani, c'è qualche novità?
▼ Questo libro è nuovo e ha già avuto un grande successo.
▲ Di che cosa parla?
▼ È la strana storia di un uomo che parte per un lungo viaggio in terre lontane e vive avventure emozionanti.
▲ Quanto costa?
▼ È un'edizione tascabile... costa 6,00 euro.
▲ Va bene, lo prendo. Penso che al mio amico piacerà.

**AGGETTIVI QUALIFICATIVI**

| | SINGOLARE | | PLURALE | |
|---|---|---|---|---|
| MASCHILE | il libro | **nuovo** | i libri | **nuovi** |
| FEMMINILE | la rivista | **nuova** | le riviste | **nuove** |
| MASCHILE | il fumetto | **divertente** | i fumetti | **divertenti** |
| FEMMINILE | la lettura | **divertente** | le letture | **divertenti** |
| MASCHILE | il romanzo | **rosa** | i romanzi | **rosa** |
| FEMMINILE | la cronaca | **rosa** | le cronache | **rosa** |

*Attenzione*

| | | | | |
|---|---|---|---|---|
| **Buono** | → | un buon amico<br>una buona amica | un buon libro<br>una buona casa | un buono sconto<br>una buona strada |
| **Bello** | → | un bell'amico<br>una bell'amica | un bel libro<br>una bella casa | un bello sconto<br>una bella strada |
| **Grande** | → | un grande amico<br>una grande amica | un gran libro<br>una grande casa | un grande sconto<br>una grande strada |

# IN PISCINA

## ☺ DIALOGO N. 6

▲ Oh! Un negozio di articoli sportivi! Posso fermarmi un momento? Mi sono iscritta a un corso di nuoto e devo comprarmi tutta l'attrezzatura.

▼ Ti serve un costume, una cuffia, un accappatoio e un paio di ciabatte di gomma.

▲ Ti piace quel costume rosso?

▼ Mi sembra più elegante quello nero.

▲ Guarda, che bell'accappatoio!

▼ Quale?

▲ Quello verde. È carino, vero?

▼ Sì, ma quello rosso è meno costoso. E la cuffia? Di che colore la vuoi?

▲ Mah... quella bianca e rossa è graziosa come quella bianca e blu. Non so quale scegliere.

| AGGETTIVI QUALIFICATIVI DI GRADO COMPARATIVO | | | | |
|---|---|---|---|---|
| MAGGIORANZA | La cuffia rossa | è | **più grande** | di quella blu. |
| | Aldo | è | **più grasso** | di Luca. |
| MINORANZA | Il costume | è | **meno costoso** | dell'accappatoio. |
| | I miei capelli | sono | **meno lunghi** | dei tuoi. |
| UGUAGLIANZA | Le ciabatte | sono | **rosse come** | la palla. |
| | L'asciugamano | è | **verde come** | l'erba. |

## ALLO STADIO

### ☺ DIALOGO N. 7

▲ Goal! Goal! Evviva! Questa partita è bellissima!
▼ Hai visto quel giocatore? È bravissimo quando tira in porta.
▲ E come corre! È il più veloce di tutti!
▼ È rapidissimo nel passare la palla ai suoi compagni di squadra.

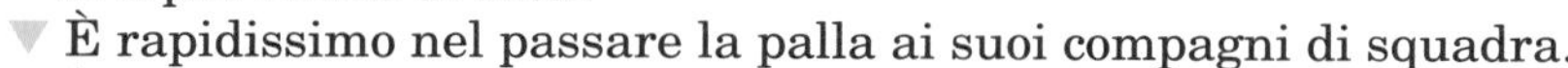

▲ È un vero campione. Il più grande calciatore di questi tempi.
▼ Sono d'accordo. La sua squadra è molto fortunata.

| AGGETTIVI QUALIFICATIVI DI GRADO SUPERLATIVO | | | |
|---|---|---|---|
| ASSOLUTO | Il giocatore è | **molto bravo / bravissimo.** | |
| | Questa partita è | **molto bella / bellissima.** | |
| RELATIVO | Questo calciatore è | **il più veloce** | di tutti. |
| | La nostra squadra è | **la più fortunata** | fra tutte. |

### ✎ 5 - SOSTITUISCI

1 - Questo fiore è <u>bello</u>. ➔ è *bellissimo* ➔ è *il più bello*
2 - La torta è buona. ➔ è ............... ➔ è ...............
3 - Le scarpe sono comode. ➔ sono .......... ➔ sono ..........
4 - Il vestito è elegante. ➔ è ............... ➔ è ...............
5 - Tu sei gentile. ➔ sei ............. ➔ sei .............

### ✎ 6 - TRASFORMA

1 - Noi siamo stati <u>più</u> fortunati di <u>voi</u>. ➔ Voi *siete stati <u>meno</u> fortunati di <u>noi</u>.*
2 - Io sono più alto di te. ➔ Tu ..........................................
3 - Omar è più vecchio di me. ➔ Io ..........................................
4 - Sika sarà più felice di Joan. ➔ Joan ..........................................
5 - Lidija era più gentile di Tatiana. ➔ Tatiana ..........................................
6 - Tua sorella è più elegante di te. ➔ Tu ..........................................

# UNA VACANZA AL MARE

Il mese scorso ho trascorso una settimana di vacanza in Calabria. Ho affittato una piccola casa in ottima posizione: a due passi dal mare. Io sono pigra, al mattino mi alzavo tardi e andavo a fare una breve passeggiata sulla spiaggia. Poi mi sedevo sulla sedia a sdraio sotto l'ombrellone e leggevo giornali e libri fino a mezzogiorno.
A quell'ora mi facevo un bel bagno, poi andavo a casa, pranzavo, mi riposavo un po' e verso le quattro del pomeriggio tornavo in spiaggia. È stata una vacanza molto rilassante, migliore di quella dello scorso anno in albergo.

## 7 - Rispondi

1 - Dove è andata in vacanza la signora?
..............................................
2 - Dove si trovava la casa in affitto?
..............................................
..............................................
3 - Che cosa faceva la signora sotto l'ombrellone?
..............................................
..............................................
4 - A che ora faceva il bagno?
..............................................
..............................................
5 - A che ora tornava in spiaggia il pomeriggio?
..............................................

| Forme particolari di comparativo e superlativo | | |
|---|---|---|
| | Comparativo | Superlativo |
| Buono | più buono<br>migliore | buonissimo<br>ottimo |
| Cattivo | più cattivo<br>peggiore | cattivissimo<br>pessimo |
| Grande | più grande<br>maggiore | grandissimo<br>massimo |
| Piccolo | più piccolo<br>minore | piccolissimo<br>minimo |

## 8 - Sostituisci

| | |
|---|---|
| 1 - Questi biscotti sono <u>buonissimi</u>. | Questi biscotti sono *ottimi*. |
| 2 - Mio fratello è <u>più grande</u> di me. | Mio fratello è .......................... |
| 3 - Pierre è il figlio <u>più piccolo</u> di Louis. | Pierre è il figlio ........................ |
| 4 - Sono di umore <u>cattivissimo</u>. | Sono di umore ........................ |
| 5 - Oggi il tempo è <u>più buono</u> di ieri. | Oggi il tempo è ...................... |
| 6 - La cosa <u>più cattiva</u> di questo pranzo è il dolce. | La cosa ....................................... |
| 7 - Questo errore è <u>piccolissimo</u>. | Questo errore è ....................... |

# IN VISITA A UNA CITTÀ

## ☺ DIALOGO N. 8

▲ Oh, finalmente siamo arrivati. Che cosa andiamo a vedere?

▼ La guida suggerisce di andare a visitare il Duomo, il castello e il museo civico.

▲ Prendiamo la pianta della città e decidiamo il percorso da seguire.

▼ Ecco, noi adesso siamo qui, nella parte inferiore della città. Siamo vicini al Duomo e al museo. Il castello invece è nella parte superiore, sulla collina.

▲ Guarda sulla guida l'orario di apertura del castello.

▼ È aperto il mattino dalle 9:00 alle 12:30, il pomeriggio dalle 15:00 alle 18:00.

▲ Bene, allora possiamo visitarlo con calma oggi pomeriggio e dedicarci adesso al Duomo e al museo civico.

▼ D'accordo!

▲ Cerchiamo anche un ufficio di informazioni turistiche?

▼ Sì, così chiediamo qualche opuscolo illustrativo sui monumenti della città.

## Si dice

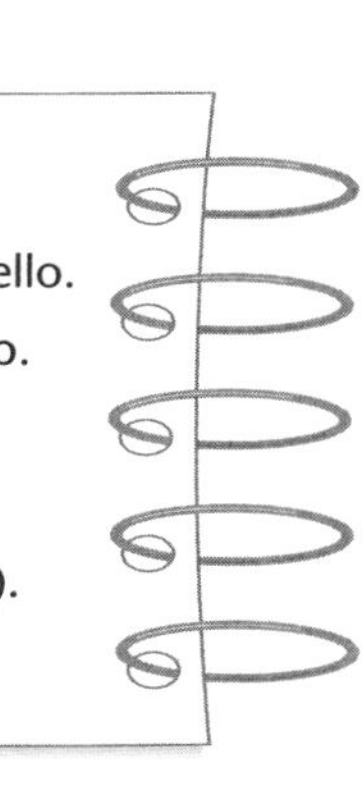

- ✔ Questa è la parte **superiore** (= che sta più in alto) del castello.
- ✔ Siamo al piano **inferiore** (= che sta più in basso) del museo.
- ✔ Si entra dalla porta **anteriore** (= che sta davanti).
- ✔ Si esce dalla porta **posteriore** (= che sta dietro).
- ✔ Devi curare il tuo aspetto **esteriore** (= che appare da fuori).
- ✔ Avere un conflitto **interiore** (= che sta dentro).

## È QUI LA FESTA?

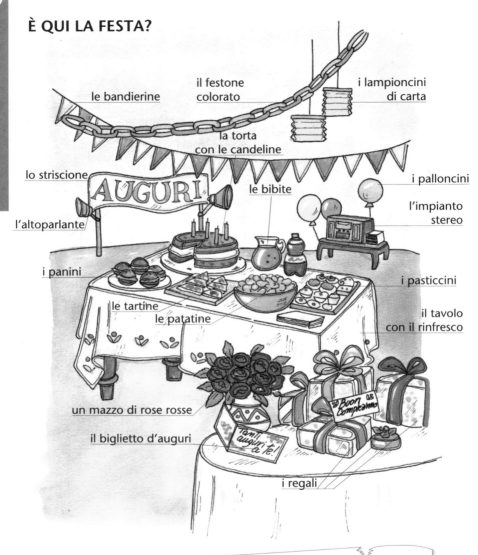

le bandierine

il festone colorato

i lampioncini di carta

la torta con le candeline

lo striscione

AUGURI

i palloncini

le bibite

l'impianto stereo

l'altoparlante

i panini

i pasticcini

le tartine

le patatine

il tavolo con il rinfresco

un mazzo di rose rosse

Buon Compleanno

il biglietto d'auguri

Tanti auguri a te!

i regali

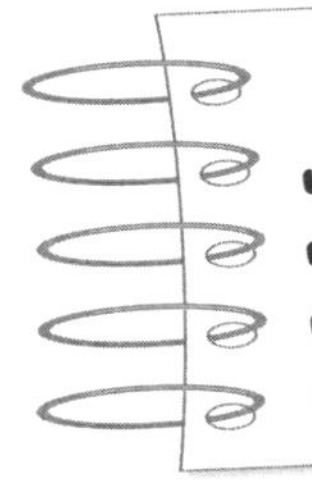

### Si dice

- ✔ Buone Feste!
- ✔ Buon Natale!
- ✔ Buon Anno!
- ✔ Felice anno nuovo!
- ✔ Buone vacanze!
- ✔ Buon compleanno!
- ✔ Cento di questi giorni!
- ✔ Tanti auguri!

## FESTA DI COMPLEANNO

Oggi Camille compie 25 anni. Per festeggiare più allegramente il compleanno ha organizzato una festa in giardino e ha invitato amici e parenti. Questo è il suo biglietto di invito.

Ti invito alla mia festa di compleanno giovedì 12 giugno. L'appuntamento è alle ore 20 nel giardino di casa mia, via Pasteur n. 32. Ti aspetto, non mancare! Camille

Alcuni amici sono andati a casa sua molto presto per aiutarla nei preparativi. Anne e Caroline hanno decorato benissimo il giardino con palloncini, lampioncini, festoni e striscioni colorati. Jacques e Olivier hanno organizzato giochi divertenti. Adrien e Sylvie hanno preparato panini e tartine.

| COMPARATIVO DI MAGGIORANZA E SUPERLATIVO DEGLI AVVERBI | | |
|---|---|---|
| | COMPARATIVO | SUPERLATIVO |
| LENTAMENTE | più lentamente | molto lentamente/lentissimamente |
| LONTANO | più lontano | molto lontano/lontanissimo |
| TARDI | più tardi | molto tardi/tardissimo |
| BENE | meglio | molto bene/benissimo/ottimamente |
| MALE | peggio | molto male/malissimo/pessimamente |
| POCO | meno | molto poco/pochissimo/minimamente |
| MOLTO | più | moltissimo/massimamente |

### 9 - SOSTITUISCI

1 - Stammi vicino! → *più vicino* → *molto vicino*
2 - Stai lontano! → ................ → ................
3 - Guida lentamente! → ................ → ................
4 - Parlagli dolcemente. → ................ → ................
5 - Lavora diligentemente. → ................ → ................
6 - Agisci coraggiosamente. → ................ → ................

# CONIUGAZIONE DEI VERBI AUSILIARI

## ESSERE

| | **Indicativo** | | | |
|---|---|---|---|---|
| | **Presente** | **Passato prossimo** | **Imperfetto** | **Trapassato prossimo** |
| io | sono | sono stato/a | ero | ero stato/a |
| tu | sei | sei stato/a | eri | eri stato/a |
| egli/lei/lui | è | è stato/a | era | era stato/a |
| noi | siamo | siamo stati/e | eravamo | eravamo stati/e |
| voi | siete | siete stati/e | eravate | eravate stati/e |
| essi/esse/loro | sono | sono stati/e | erano | erano stati/e |
| | **Passato remoto** | **Trapassato remoto** | **Futuro semplice** | **Futuro anteriore** |
| io | fui | fui stato/a | sarò | sarò stato/a |
| tu | fosti | fosti stato/a | sarai | sarai stato/a |
| egli/lei/lui | fu | fu stato/a | sarà | sarà stato/a |
| noi | fummo | fummo stati/e | saremo | saremo stati/e |
| voi | foste | foste stati/e | sarete | sarete stati/e |
| essi/esse/loro | furono | furono stati/e | saranno | saranno stati/e |

| | **Congiuntivo** | | | |
|---|---|---|---|---|
| | **Presente** | **Passato** | **Imperfetto** | **Trapassato** |
| che io | sia | sia stato/a | fossi | fossi stato/a |
| che tu | sia | sia stato/a | fossi | fossi stato/a |
| che egli/lei/lui | sia | sia stato/a | fosse | fosse stato/a |
| che noi | siamo | siamo stati/e | fossimo | fossimo stati/e |
| che voi | siate | siate stati/e | foste | foste stati/e |
| che essi/esse/loro | siano | siano stati/e | fossero | fossero stati/e |

| | **Condizionale** | | **Imperativo** |
|---|---|---|---|
| | **Presente** | **Passato** | **Presente** |
| io | sarei | sarei stato/a | – |
| tu | saresti | saresti stato/a | sii |
| egli/lei/lui | sarebbe | sarebbe stato/a | sia |
| noi | saremmo | saremmo stati/e | siamo |
| voi | sareste | sareste stati/e | siate |
| essi/esse/loro | sarebbero | sarebbero stati/e | siano |

| **Infinito** | | **Participio** | | **Gerundio** | |
|---|---|---|---|---|---|
| **Presente** | **Passato** | **Presente** | **Passato** | **Presente** | **Passato** |
| essere | essere stato | -- | stato | stando | essendo stato |

# AVERE

| | **Indicativo** | | | |
|---|---|---|---|---|
| | **Presente** | **Passato prossimo** | **Imperfetto** | **Trapassato prossimo** |
| io | ho | ho avuto | avevo | avevo avuto |
| tu | hai | hai avuto | avevi | avevi avuto |
| egli/lei/lui | ha | ha avuto | aveva | aveva avuto |
| noi | abbiamo | abbiamo avuto | avevamo | avevamo avuto |
| voi | avete | avete avuto | avevate | avevate avuto |
| essi/esse/loro | hanno | hanno avuto | avevano | avevano avuto |
| | **Passato remoto** | **Trapassato remoto** | **Futuro semplice** | **Futuro anteriore** |
| io | ebbi | ebbi avuto | avrò | avrò avuto |
| tu | avresti | avesti avuto | avrai | avrai avuto |
| egli/lei/lui | ebbe | ebbe avuto | avrà | avrà avuto |
| noi | avemmo | avemmo avuto | avremo | avremo avuto |
| voi | aveste | aveste avuto | avrete | avrete avuto |
| essi/esse/loro | ebbero | ebbero avuto | avranno | avranno avuto |

| | **Congiuntivo** | | | |
|---|---|---|---|---|
| | **Presente** | **Passato** | **Imperfetto** | **Trapassato** |
| che io | abbia | abbia avuto | avessi | avessi avuto |
| che tu | abbia | abbia avuto | avessi | avessi avuto |
| che egli/lei/lui | abbia | abbia avuto | avesse | avesse avuto |
| che noi | abbiamo | abbiamo avuto | avessimo | avessimo avuto |
| che voi | abbiate | abbiate avuto | aveste | aveste avuto |
| che essi/esse/loro | abbiano | abbiano avuto | avessero | avessero avuto |

| | **Condizionale** | | **Imperativo** |
|---|---|---|---|
| | **Presente** | **Passato** | **Presente** |
| io | avrei | avrei avuto | – |
| tu | avresti | avresti avuto | abbi |
| egli/lei/lui | avrebbe | avrebbe avuto | abbia |
| noi | avremmo | avremmo avuto | abbiamo |
| voi | avreste | avreste avuto | abbiate |
| essi/esse/loro | avrebbero | avrebbero avuto | abbiano |

| **Infinito** | | **Participio** | | **Gerundio** | |
|---|---|---|---|---|---|
| **Presente** | **Passato** | **Presente** | **Passato** | **Presente** | **Passato** |
| avere | avere avuto | avente | avuto | avendo | avendo avuto |

# CONIUGAZIONE ATTIVA DEI VERBI REGOLARI

## 1a coniugazione AMARE

| | **Indicativo** | | | |
|---|---|---|---|---|
| | **Presente** | **Passato prossimo** | **Imperfetto** | **Trapassato prossimo** |
| io | amo | ho amato | amavo | avevo amato |
| tu | ami | hai amato | amavi | avevi amato |
| egli/lei/lui | ama | ha amato | amava | aveva amato |
| noi | amiamo | abbiamo amato | amavamo | avevamo amato |
| voi | amate | avete amato | amavate | avevate amato |
| essi/esse/loro | amano | hanno amato | amavano | avevano amato |
| | **Passato remoto** | **Trapassato remoto** | **Futuro semplice** | **Futuro anteriore** |
| io | amai | ebbi amato | amerò | avrò amato |
| tu | amasti | avesti amato | amerai | avrai amato |
| egli/lei/lui | amò | ebbe amato | amerà | avrà amato |
| noi | amammo | avemmo amato | ameremo | avremo amato |
| voi | amaste | aveste amato | amerete | avrete amato |
| essi/esse/loro | amarono | ebbero amato | ameranno | avranno amato |

| | **Congiuntivo** | | | |
|---|---|---|---|---|
| | **Presente** | **Passato** | **Imperfetto** | **Trapassato** |
| che io | ami | abbia amato | amassi | avessi amato |
| che tu | ami | abbia amato | amassi | avessi amato |
| che egli/lei/lui | ami | abbia amato | amasse | avesse amato |
| che noi | amiamo | abbiamo amato | amassimo | avessimo amato |
| che voi | amiate | abbiate amato | amaste | aveste amato |
| che essi/esse/loro | amino | abbiano amato | amassero | avessero amato |

| | **Condizionale** | | **Imperativo** |
|---|---|---|---|
| | **Presente** | **Passato** | **Presente** |
| io | amerei | avrei amato | – |
| tu | ameresti | avresti amato | ama |
| egli/lei/lui | amerebbe | avrebbe amato | ami |
| noi | ameremmo | avremmo amato | amiamo |
| voi | amereste | avreste amato | amate |
| essi/esse/loro | amerebbero | avrebbero amato | amino |

| **Infinito** | | **Participio** | | **Gerundio** | |
|---|---|---|---|---|---|
| **Presente** | **Passato** | **Presente** | **Passato** | **Presente** | **Passato** |
| amare | avere amato | amante | amato | amando | avendo amato |

## 2a coniugazione TEMERE

| | **Indicativo** | | | |
|---|---|---|---|---|
| | **Presente** | **Passato prossimo** | **Imperfetto** | **Trapassato prossimo** |
| io | temo | ho temuto | temevo | avevo temuto |
| tu | temi | hai temuto | temevi | avevi temuto |
| egli/lei/lui | teme | ha temuto | temeva | aveva temuto |
| noi | temiamo | abbiamo temuto | temevamo | avevamo temuto |
| voi | temete | avete temuto | temevate | avevate temuto |
| essi/esse/loro | temono | hanno temuto | temevano | avevano temuto |
| | **Passato remoto** | **Trapassato remoto** | **Futuro semplice** | **Futuro anteriore** |
| io | temei (-etti) | ebbi temuto | temerò | avrò temuto |
| tu | temesti | avesti temuto | temerai | avrai temuto |
| egli/lei/lui | temé (-ette) | ebbe temuto | temerà | avrà temuto |
| noi | tememmo | avemmo temuto | temeremo | avremo temuto |
| voi | temeste | aveste temuto | temerete | avrete temuto |
| essi/esse/loro | temerono (-ettero) | ebbero temuto | temeranno | avranno temuto |

| | **Congiuntivo** | | | |
|---|---|---|---|---|
| | **Presente** | **Passato** | **Imperfetto** | **Trapassato** |
| che io | tema | abbia temuto | temessi | avessi temuto |
| che tu | tema | abbia temuto | temessi | avessi temuto |
| che egli/lei/lui | tema | abbia temuto | temesse | avesse temuto |
| che noi | temiamo | abbiamo temuto | temessimo | avessimo temuto |
| che voi | temiate | abbiate temuto | temeste | aveste temuto |
| che essi/esse/loro | temano | abbiano temuto | temessero | avessero temuto |

| | **Condizionale** | | **Imperativo** |
|---|---|---|---|
| | **Presente** | **Passato** | **Presente** |
| io | temerei | avrei temuto | – |
| tu | temeresti | avresti temuto | temi |
| egli/lei/lui | temerebbe | avrebbe temuto | tema |
| noi | temeremmo | avremmo temuto | temiamo |
| voi | temereste | avreste temuto | temete |
| essi/esse/loro | temerebbero | avrebbero temuto | temano |

| **Infinito** | | **Participio** | | **Gerundio** | |
|---|---|---|---|---|---|
| **Presente** | **Passato** | **Presente** | **Passato** | **Presente** | **Passato** |
| temere | avere temuto | temente | temuto | temendo | avendo temuto |

APPENDICI

# 3a coniugazione SENTIRE

| | **Indicativo** | | | |
|---|---|---|---|---|
| | **Presente** | **Passato prossimo** | **Imperfetto** | **Trapassato prossimo** |
| io | sento | ho sentito | sentivo | avevo sentito |
| tu | senti | hai sentito | sentivi | avevi sentito |
| egli/lei/lui | sente | ha sentito | sentiva | aveva sentito |
| noi | sentiamo | abbiamo sentito | sentivamo | avevamo sentito |
| voi | sentite | avete sentito | sentivate | avevate sentito |
| essi/esse/loro | sentono | hanno sentito | sentivano | avevano sentito |
| | **Passato remoto** | **Trapassato remoto** | **Futuro semplice** | **Futuro anteriore** |
| io | sentii | ebbi sentito | sentirò | avrò sentito |
| tu | sentisti | avesti sentito | sentirai | avrai sentito |
| egli/lei/lui | sentì | ebbe sentito | sentirà | avrà sentito |
| noi | sentimmo | avemmo sentito | sentiremo | avremo sentito |
| voi | sentiste | aveste sentito | sentirete | avrete sentito |
| essi/esse/loro | sentirono | ebbero sentito | sentiranno | avranno sentito |

| | **Congiuntivo** | | | |
|---|---|---|---|---|
| | **Presente** | **Passato** | **Imperfetto** | **Trapassato** |
| che io | senta | abbia sentito | sentissi | avessi sentito |
| che tu | senta | abbia sentito | sentissi | avessi sentito |
| che egli/lei/lui | senta | abbia sentito | sentisse | avesse sentito |
| che noi | sentiamo | abbiamo sentito | sentissimo | avessimo sentito |
| che voi | sentiate | abbiate sentito | sentiste | aveste sentito |
| che essi/esse/loro | sentano | abbiano sentito | sentissero | avessero sentito |

| | **Condizionale** | | | **Imperativo** |
|---|---|---|---|---|
| | **Presente** | **Passato** | | **Presente** |
| io | sentirei | avrei sentito | | – |
| tu | sentiresti | avresti sentito | | senti |
| egli/lei/lui | sentirebbe | avrebbe sentito | | senta |
| noi | sentiremmo | avremmo sentito | | sentiamo |
| voi | sentireste | avreste sentito | | sentite |
| essi/esse/loro | sentirebbero | avrebbero sentito | | sentano |

| **Infinito** | | **Participio** | | **Gerundio** | |
|---|---|---|---|---|---|
| **Presente** | **Passato** | **Presente** | **Passato** | **Presente** | **Passato** |
| sentire | avere sentito | sentente | sentito | sentendo | avendo sentito |

# 3a coniugazione FINIRE

| | **Indicativo** | | | |
|---|---|---|---|---|
| | **Presente** | **Passato prossimo** | **Imperfetto** | **Trapassato prossimo** |
| io | finisco | ho finito | finivo | avevo finito |
| tu | finisci | hai finito | finivi | avevi finito |
| egli/lei/lui | finisce | ha finito | finiva | aveva finito |
| noi | finiamo | abbiamo finito | finivamo | avevamo finito |
| voi | finite | avete finito | finivate | avevate finito |
| essi/esse/loro | finiscono | hanno finito | finivano | avevano finito |
| | **Passato remoto** | **Trapassato remoto** | **Futuro semplice** | **Futuro anteriore** |
| io | finii | ebbi finito | finirò | avrò finito |
| tu | finisti | avesti finito | finirai | avrai finito |
| egli/lei/lui | finì | ebbe finito | finirà | avrà finito |
| noi | finimmo | avemmo finito | finiremo | avremo finito |
| voi | finiste | aveste finito | finirete | avrete finito |
| essi/esse/loro | finirono | ebbero finito | finiranno | avranno finito |

| | **Congiuntivo** | | | |
|---|---|---|---|---|
| | **Presente** | **Passato** | **Imperfetto** | **Trapassato** |
| che io | finisca | abbia finito | finissi | avessi finito |
| che tu | finisca | abbia finito | finissi | avessi finito |
| che egli/lei/lui | finisca | abbia finito | finisse | avesse finito |
| che noi | finiamo | abbiamo finito | finissimo | avessimo finito |
| che voi | finiate | abbiate finito | finiste | aveste finito |
| che essi/esse/loro | finiscano | abbiano finito | finissero | avessero finito |

| | **Condizionale** | | | **Imperativo** |
|---|---|---|---|---|
| | **Presente** | **Passato** | | **Presente** |
| io | finirei | avrei finito | | – |
| tu | finiresti | avresti finito | | finisci |
| egli/lei/lui | finirebbe | avrebbe finito | | finisca |
| noi | finiremmo | avremmo finito | | finiamo |
| voi | finireste | avreste finito | | finite |
| essi/esse/loro | finirebbero | avrebbero finito | | finiscano |

| **Infinito** | | **Participio** | | **Gerundio** | |
|---|---|---|---|---|---|
| **Presente** | **Passato** | **Presente** | **Passato** | **Presente** | **Passato** |
| finire | avere finito | finente | finito | finendo | avendo finito |

# CONIUGAZIONE ATTIVA DEI PRINCIPALI VERBI IRREGOLARI

## ANDARE

| | **Indicativo** | | | |
|---|---|---|---|---|
| | **Presente** | **Passato prossimo** | **Imperfetto** | **Trapassato prossimo** |
| io | vado (vo) | sono andato/a | andavo | ero andato/a |
| tu | vai | sei andato/a | andavi | eri andato/a |
| egli/lei/lui | va | è andato/a | andava | era andato/a |
| noi | andiamo | siamo andati/e | andavamo | eravamo andati/e |
| voi | andate | siete andati/e | andavate | eravate andati/e |
| essi/esse/loro | vanno | sono andati/e | andavano | erano andati/e |
| | **Passato remoto** | **Trapassato remoto** | **Futuro semplice** | **Futuro anteriore** |
| io | andai | fui andato/a | andrò | sarò andato/a |
| tu | andasti | fosti andato/a | andrai | sarai andato/a |
| egli/lei/lui | andò | fu andato/a | andrà | sarà andato/a |
| noi | andammo | fummo andati/e | andremo | saremo andati/e |
| voi | andaste | foste andati/e | andrete | sarete andati/e |
| essi/esse/loro | andarono | furono andati/e | andranno | saranno andati/e |

| | **Congiuntivo** | | | |
|---|---|---|---|---|
| | **Presente** | **Passato** | **Imperfetto** | **Trapassato** |
| che io | vada | sia andato/a | andassi | fossi andato/a |
| che tu | vada | sia andato/a | andassi | fossi andato/a |
| che egli/lei/lui | vada | sia andato/a | andasse | fosse andato/a |
| che noi | andiamo | siamo andati/e | andassimo | fossimo andati/e |
| che voi | andiate | siate andati/e | andaste | foste andati/e |
| che essi/esse/loro | vadano | siano andati/e | andassero | fossero andati/e |

| | **Condizionale** | | **Imperativo** |
|---|---|---|---|
| | **Presente** | **Passato** | **Presente** |
| io | andrei | sarei andato/a | – |
| tu | andresti | saresti andato/a | va/va'/vai |
| egli/lei/lui | andrebbe | sarebbe andato/a | vada |
| noi | andremmo | saremmo andati/e | andiamo |
| voi | andreste | sareste andati/e | andate |
| essi/esse/loro | andrebbero | sarebbero andati/e | vadano |

| **Infinito** | | **Participio** | | **Gerundio** | |
|---|---|---|---|---|---|
| **Presente** | **Passato** | **Presente** | **Passato** | **Presente** | **Passato** |
| andare | essere andato | andante | andato | andando | essendo andato |

## DARE

| | **Indicativo** | | | |
|---|---|---|---|---|
| | **Presente** | **Passato prossimo** | **Imperfetto** | **Trapassato prossimo** |
| io | do | ho dato | davo | avevo dato |
| tu | dai | hai dato | davi | avevi dato |
| egli/lei/lui | dà | ha dato | dava | aveva dato |
| noi | diamo | abbiamo dato | davamo | avevamo dato |
| voi | date | avete dato | davate | avevate dato |
| essi/esse/loro | danno | hanno dato | davano | avevano dato |
| | **Passato remoto** | **Trapassato remoto** | **Futuro semplice** | **Futuro anteriore** |
| io | diedi/detti | ebbi dato | darò | avrò dato |
| tu | desti | avesti dato | darai | avrai dato |
| egli/lei/lui | diede/dette | ebbe dato | darà | avrà dato |
| noi | demmo | avemmo dato | daremo | avremo dato |
| voi | deste | aveste dato | darete | avrete dato |
| essi/esse/loro | diedero/dettero | ebbero dato | daranno | avranno dato |

| | **Congiuntivo** | | | |
|---|---|---|---|---|
| | **Presente** | **Passato** | **Imperfetto** | **Trapassato** |
| che io | dia | abbia dato | dessi | avessi dato |
| che tu | dia | abbia dato | dessi | avessi dato |
| che egli/lei/lui | dia | abbia dato | desse | avesse dato |
| che noi | diamo | abbiamo dato | dessimo | avessimo dato |
| che voi | diate | abbiate dato | deste | aveste dato |
| che essi/esse/loro | diano | abbiano dato | dessero | avessero dato |

| | **Condizionale** | | | **Imperativo** |
|---|---|---|---|---|
| | **Presente** | **Passato** | | **Presente** |
| io | darei | avrei dato | | – |
| tu | daresti | avresti dato | | da'/da/dai |
| egli/lei/lui | darebbe | avrebbe dato | | dia |
| noi | daremmo | avremmo dato | | diamo |
| voi | dareste | avreste dato | | date |
| essi/esse/loro | darebbero | avrebbero dato | | diano |

| **Infinito** | | **Participio** | | **Gerundio** | |
|---|---|---|---|---|---|
| **Presente** | **Passato** | **Presente** | **Passato** | **Presente** | **Passato** |
| dare | avere dato | – | dato | dando | avendo dato |

## DIRE

**Indicativo**

| | Presente | Passato prossimo | Imperfetto | Trapassato prossimo |
|---|---|---|---|---|
| io | dico | ho detto | dicevo | avevo detto |
| tu | dici | hai detto | dicevi | avevi detto |
| egli/lei/lui | dice | ha detto | diceva | aveva detto |
| noi | diciamo | abbiamo detto | dicevamo | avevamo detto |
| voi | dite | avete detto | dicevate | avevate detto |
| essi/esse/loro | dicono | hanno detto | dicevano | avevano detto |
| | **Passato remoto** | **Trapassato remoto** | **Futuro semplice** | **Futuro anteriore** |
| io | dissi | ebbi detto | dirò | avrò detto |
| tu | dicesti | avesti detto | dirai | avrai detto |
| egli/lei/lui | disse | ebbe detto | dirà | avrà detto |
| noi | dicemmo | avemmo detto | diremo | avremo detto |
| voi | diceste | aveste detto | direte | avrete detto |
| essi/esse/loro | dissero | ebbero detto | diranno | avranno detto |

**Congiuntivo**

| | Presente | Passato | Imperfetto | Trapassato |
|---|---|---|---|---|
| che io | dica | abbia detto | dicessi | avessi detto |
| che tu | dica | abbia detto | dicessi | avessi detto |
| che egli/lei/lui | dica | abbia detto | dicesse | avesse detto |
| che noi | diciamo | abbiamo detto | dicessimo | avessimo detto |
| che voi | diciate | abbiate detto | diceste | aveste detto |
| che essi/esse/loro | dicano | abbiano detto | dicessero | avessero detto |

| | **Condizionale** | | **Imperativo** |
|---|---|---|---|
| | **Presente** | **Passato** | **Presente** |
| io | direi | avrei detto | – |
| tu | diresti | avresti detto | di' |
| egli/lei/lui | direbbe | avrebbe detto | dica |
| noi | diremmo | avremmo detto | diciamo |
| voi | direste | avreste detto | dite |
| essi/esse/loro | direbbero | avrebbero detto | dicano |

| **Infinito** | | **Participio** | | **Gerundio** | |
|---|---|---|---|---|---|
| **Presente** | **Passato** | **Presente** | **Passato** | **Presente** | **Passato** |
| dire | avere detto | dicente | detto | dicendo | avendo detto |

# FARE

| | Indicativo | | | |
|---|---|---|---|---|
| | **Presente** | **Passato prossimo** | **Imperfetto** | **Trapassato prossimo** |
| io | faccio/fo | ho fatto | facevo | avevo fatto |
| tu | fai | hai fatto | facevi | avevi fatto |
| egli/lei/lui | fa | ha fatto | faceva | aveva fatto |
| noi | facciamo | abbiamo fatto | facevamo | avevamo fatto |
| voi | fate | avete fatto | facevate | avevate fatto |
| essi/esse/loro | fanno | hanno fatto | facevano | avevano fatto |
| | **Passato remoto** | **Trapassato remoto** | **Futuro semplice** | **Futuro anteriore** |
| io | feci | ebbi fatto | farò | avrò fatto |
| tu | facesti | avesti fatto | farai | avrai fatto |
| egli/lei/lui | fece | ebbe fatto | farà | avrà fatto |
| noi | facemmo | avemmo fatto | faremo | avremo fatto |
| voi | faceste | aveste fatto | farete | avrete fatto |
| essi/esse/loro | fecero | ebbero fatto | faranno | avranno fatto |

| | Congiuntivo | | | |
|---|---|---|---|---|
| | **Presente** | **Passato** | **Imperfetto** | **Trapassato** |
| che io | faccia | abbia fatto | facessi | avessi fatto |
| che tu | faccia | abbia fatto | facessi | avessi fatto |
| che egli/lei/lui | faccia | abbia fatto | facesse | avesse fatto |
| che noi | facciamo | abbiamo fatto | facessimo | avessimo fatto |
| che voi | facciate | abbiate fatto | faceste | aveste fatto |
| che essi/esse/loro | facciano | abbiano fatto | facessero | avessero fatto |

| | Condizionale | | Imperativo |
|---|---|---|---|
| | **Presente** | **Passato** | **Presente** |
| io | farei | avrei fatto | – |
| tu | faresti | avresti fatto | fa'/fa/fai |
| egli/lei/lui | farebbe | avrebbe fatto | faccia |
| noi | faremmo | avremmo fatto | facciamo |
| voi | fareste | avreste fatto | fate |
| essi/esse/loro | farebbero | avrebbero fatto | facciano |

| Infinito | | Participio | | Gerundio | |
|---|---|---|---|---|---|
| **Presente** | **Passato** | **Presente** | **Passato** | **Presente** | **Passato** |
| fare | avere fatto | facente | fatto | facendo | avendo fatto |

# POTERE

**Indicativo**

| | Presente | Passato prossimo | Imperfetto | Trapassato prossimo |
|---|---|---|---|---|
| io | posso | ho potuto | potevo | avevo potuto |
| tu | puoi | hai potuto | potevi | avevi potuto |
| egli/lei/lui | può | ha potuto | poteva | aveva potuto |
| noi | possiamo | abbiamo potuto | potevamo | avevamo potuto |
| voi | potete | avete potuto | potevate | avevate potuto |
| essi/esse/loro | possono | hanno potuto | potevano | avevano potuto |

| | Passato remoto | Trapassato remoto | Futuro semplice | Futuro anteriore |
|---|---|---|---|---|
| io | potei/potetti | ebbi potuto | potrò | avrò potuto |
| tu | potesti | avesti potuto | potrai | avrai potuto |
| egli/lei/lui | poté/potette | ebbe potuto | potrà | avrà potuto |
| noi | potemmo | avemmo potuto | potremo | avremo potuto |
| voi | poteste | aveste potuto | potrete | avrete potuto |
| essi/esse/loro | poterono/potettero | ebbero potuto | potranno | avranno potuto |

**Congiuntivo**

| | Presente | Passato | Imperfetto | Trapassato |
|---|---|---|---|---|
| che io | possa | abbia potuto | potessi | avessi potuto |
| che tu | possa | abbia potuto | potessi | avessi potuto |
| che egli/lei/lui | possa | abbia potuto | potesse | avesse potuto |
| che noi | possiamo | abbiamo potuto | potessimo | avessimo potuto |
| che voi | possiate | abbiate potuto | poteste | aveste potuto |
| che essi/esse/loro | possano | abbiano potuto | potessero | avessero potuto |

**Condizionale** / **Imperativo**

| | Presente | Passato | Imperativo Presente |
|---|---|---|---|
| io | potrei | avrei potuto | – |
| tu | potresti | avresti potuto | |
| egli/lei/lui | potrebbe | avrebbe potuto | |
| noi | potremmo | avremmo potuto | |
| voi | potreste | avreste potuto | |
| essi/esse/loro | potrebbero | avrebbero potuto | |

| Infinito Presente | Infinito Passato | Participio Presente | Participio Passato | Gerundio Presente | Gerundio Passato |
|---|---|---|---|---|---|
| potere | avere potuto | potente | potuto | potendo | avendo potuto |

- Il verbo potere può anche avere l'ausiliare essere.

# VENIRE

| | Indicativo | | | |
|---|---|---|---|---|
| | **Presente** | **Passato prossimo** | **Imperfetto** | **Trapassato prossimo** |
| io | vengo | sono venuto/a | venivo | ero venuto/a |
| tu | vieni | sei venuto/a | venivi | eri venuto/a |
| egli/lei/lui | viene | è venuto/a | veniva | era venuto/a |
| noi | veniamo | siamo venuti/e | venivamo | eravamo venuti/e |
| voi | venite | siete venuti/e | venivate | eravate venuti/e |
| essi/esse/loro | vengono | sono venuti/e | venivano | erano venuti/e |
| | **Passato remoto** | **Trapassato remoto** | **Futuro semplice** | **Futuro anteriore** |
| io | venni | fui venuto/a | verrò | sarò venuto/a |
| tu | venisti | fosti venuto/a | verrai | sarai venuto/a |
| egli/lei/lui | venne | fu venuto/a | verrà | sarà venuto/a |
| noi | venimmo | fummo venuti/e | verremo | saremo venuti/e |
| voi | veniste | foste venuti/e | verrete | sarete venuti/e |
| essi/esse/loro | vennero | furono venuti/e | verranno | saranno venuti/e |

| | Congiuntivo | | | |
|---|---|---|---|---|
| | **Presente** | **Passato** | **Imperfetto** | **Trapassato** |
| che io | venga | sia venuto/a | venissi | fossi venuto/a |
| che tu | venga | sia venuto/a | venissi | fossi venuto/a |
| che egli/lei/lui | venga | sia venuto/a | venisse | fosse venuto/a |
| che noi | veniamo | siamo venuti/e | venissimo | fossimo venuti/e |
| che voi | veniate | siate venuti/e | veniste | foste venuti/e |
| che essi/esse/loro | vengano | siano venuti/e | venissero | fossero venuti/e |

| | Condizionale | | Imperativo |
|---|---|---|---|
| | **Presente** | **Passato** | **Presente** |
| io | verrei | sarei venuto/a | – |
| tu | verresti | saresti venuto/a | vieni |
| egli/lei/lui | verrebbe | sarebbe venuto/a | venga |
| noi | verremmo | saremmo venuti/e | veniamo |
| voi | verreste | sareste venuti/e | venite |
| essi/esse/loro | verrebbero | sarebbero venuti/e | vengano |

| Infinito | | Participio | | Gerundio | |
|---|---|---|---|---|---|
| **Presente** | **Passato** | **Presente** | **Passato** | **Presente** | **Passato** |
| venire | essere venuto | veniente | venuto | venendo | essendo venuto |

# VOLERE

| | **Indicativo** | | | |
|---|---|---|---|---|
| | **Presente** | **Passato prossimo** | **Imperfetto** | **Trapassato prossimo** |
| io | voglio | ho voluto | volevo | avevo voluto |
| tu | vuoi | hai voluto | volevi | avevi voluto |
| egli/lei/lui | vuole | ha voluto | voleva | aveva voluto |
| noi | vogliamo | abbiamo voluto | volevamo | avevamo voluto |
| voi | volete | avete voluto | volevate | avevate voluto |
| essi/esse/loro | vogliono | hanno voluto | volevano | avevano voluto |
| | **Passato remoto** | **Trapassato remoto** | **Futuro semplice** | **Futuro anteriore** |
| io | volli | ebbi voluto | vorrò | avrò voluto |
| tu | volesti | avesti voluto | vorrai | avrai voluto |
| egli/lei/lui | volle | ebbe voluto | vorrà | avrà voluto |
| noi | volemmo | avemmo voluto | vorremo | avremo voluto |
| voi | voleste | aveste voluto | vorrete | avrete voluto |
| essi/esse/loro | vollero | ebbero voluto | vorranno | avranno voluto |

| | **Congiuntivo** | | | |
|---|---|---|---|---|
| | **Presente** | **Passato** | **Imperfetto** | **Trapassato** |
| che io | voglia | abbia voluto | volessi | avessi voluto |
| che tu | voglia | abbia voluto | volessi | avessi voluto |
| che egli/lei/lui | voglia | abbia voluto | volesse | avesse voluto |
| che noi | vogliamo | abbiamo voluto | volessimo | avessimo voluto |
| che voi | vogliate | abbiate voluto | voleste | aveste voluto |
| che essi/esse/loro | vogliano | abbiano voluto | volessero | avessero voluto |

| | **Condizionale** | | **Imperativo** |
|---|---|---|---|
| | **Presente** | **Passato** | **Presente** |
| io | vorrei | avrei voluto | – |
| tu | vorresti | avresti voluto | vogli |
| egli/lei/lui | vorrebbe | avrebbe voluto | voglia |
| noi | vorremmo | avremmo voluto | vogliamo |
| voi | vorreste | avreste voluto | vogliate |
| essi/esse/loro | vorrebbero | avrebbero voluto | vogliano |

| **Infinito** | | **Participio** | | **Gerundio** | |
|---|---|---|---|---|---|
| **Presente** | **Passato** | **Presente** | **Passato** | **Presente** | **Passato** |
| volere | avere voluto | volente | voluto | volendo | avendo voluto |

- Il verbo volere può anche avere l'ausiliare essere.

# Test di verifica finale

## COMPETENZE LINGUISTICHE DI LIVELLO A2



### Come è fatto il test

✓ Il test misura le competenze linguistiche di livello A2. È strutturato secondo il modello previsto dal Ministero dell'Interno per la verifica della conoscenza della lingua italiana da parte di cittadini stranieri che vogliono ottenere il permesso di soggiorno Ce, di lungo periodo.
Si compone delle seguenti parti:

✓ una prova di ascolto, o comprensione orale, suddivisa in due parti (A e B), che consiste nell'ascolto di due distinti testi e nella risposta ad alcuni quesiti relativi a ciascuno di essi;

✓ una prova di lettura, o comprensione scritta, suddivisa in due parti (A e B), che consiste nella lettura di due distinti testi e nella risposta ad alcuni quesiti relativi a ciascuno di essi;

✓ una prova di scrittura, o interazione scritta, che consiste nella scrittura di un messaggio di risposta a una mail ricevuta.

### Chi può utilizzare il test

✓ Il test può essere utilizzato come verifica delle proprie competenze linguistiche. Per chi vuole sostenere il test per il permesso Ce, servirà come verifica orientativa ed esercitazione.

### Come si esegue il test

✓ Per quanto riguarda la prova di lettura e quella di scrittura, esse possono essere eseguite in totale autonomia, seguendo le istruzioni date.
Per la prova di ascolto è necessario che un parlante italiano legga i testi di ascolto trascritti alla pagina 151. Le tracce audio relative, disponibili sul cd o alla pagina www.giunti.it/Parlo-italiano, sono le n. 51 e 52.

## Come si calcola il punteggio

### PROVA DI ASCOLTO

✓ Per ciascuna risposta corretta data a un item della parte A si danno 3 punti. Per ciascuna risposta corretta data a un item della parte B si danno 1,5 punti.
Il punteggio massimo totale è di 30 punti.

### PROVA DI LETTURA

✓ Per ciascuna risposta corretta data a un item della parte A si danno 3,5 punti. Per ciascuna risposta corretta data a un item della parte B si danno 1,75 punti.
Il punteggio massimo totale è di 35 punti.

### PROVA DI SCRITTURA

✓ Alla prova di scrittura possono essere assegnati:
- da 29 a 35 punti se svolta in modo completo e corretto;
- da 18 a 28 punti se svolta in modo completo, ma con molti errori che rendono il messaggio poco comprensibile;
- da 8 a 17 punti se svolta in modo incompleto;
- 0 punti se non è svolta o ha così tanti errori da non essere valutabile.

Il punteggio massimo è di 35 punti.

Mentre il calcolo del punteggio delle prove di ascolto e di scrittura può essere fatto direttamente dallo studente, sulla base delle soluzioni date a p. 159, per l'assegnazione del punteggio alla prova di scrittura è necessario l'intervento di un parlante italiano, in grado di valutare applicando i criteri prima descritti.

## Punteggio globale

✓ Per superare il test si devono ottenere almeno 80 punti su un totale complessivo di 100.

## PROVA DI ASCOLTO - Testi

**I testi che seguono sono disponibili sul cd allegato o sui file mp3 scaricabili da www.giunti.it/Parlo-italiano. Ciascun testo deve essere letto, due volte di seguito, da un parlante italiano, a velocità medio-lenta, mentre l'apprendente ascolta. Dopo l'ascolto del primo testo, ci sono 8 minuti per rispondere ai quesiti relativi. Passati gli 8 minuti, si va avanti con l'ascolto del secondo testo.**

### Testo A

**1** - Vorrei un biglietto per l'intercity delle 10,40 per Padova. Quanto costa?
- Costa 35 euro.

**2** - Scusi, devo mandare un pacco postale in Senegal. Dove devo andare?
- Allo sportello raccomandate.
- Sì, ho capito, grazie.

**3** - Buongiorno, vorrei qualcosa per il mal di testa.
- Va bene l'aspirina o preferisce qualcos'altro?
- Va bene l'aspirina, grazie.

**4** - Si tolga la camicia e mi dica esattamente dove sente dolore.
- Mi fa male qui, fra lo stomaco e la pancia.
- Ho capito, adesso faccia un bel respiro.

**5** - Buonasera, è pronta la mia automobile?
- No, signora Rossi.
- Ma come faccio? A me l'automobile serve per andare al lavoro.
- Mi dispiace, ma ho dovuto ordinare un pezzo di ricambio e non è ancora arrivato.

### Testo B

**1** Si avverte la gentile clientela che abbiamo trovato una borsa rossa vicino al reparto frutta e verdura. Il proprietario può ritirarla alla cassa numero 1, vicino all'uscita.

**2** Si avvertono i signori viaggiatori che domani, 18 novembre, a causa di uno sciopero dei macchinisti alcuni treni potrebbero essere soppressi.

**3** Yong, sono Joo, scusa, ma non posso richiamarti più tardi. Ti lascio le informazioni che volevi. Per andare all'Ospedale Maggiore, prendi l'autobus numero 3 e vai fino a Piazza Adua; da Piazza Adua raggiungi Via Quarrata. Lì c'è la fermata del 14 che ti porta all'Ospedale Maggiore.

**4** Ciao Céline, sono Clori, ti ho chiamato per dirti che domani pomeriggio io non posso venire al cinema con te perché viene un amico a cena e devo preparare. Comunque, se senti questo messaggio, chiamami.

**5** Da lunedì 20 maggio, oltre alla convenienza di sempre, sconti eccezionali in tutti i supermercati MF! Più di venti prodotti sottocosto! E dal 1 giugno al 30 agosto siamo aperti anche la domenica, fino alle 21:00.

## PROVA DI ASCOLTO - Quesiti Testo A

**Hai ascoltato cinque brevi dialoghi fra due persone. Devi dire il luogo in cui si svolge ciascun dialogo. Scegli la risposta giusta fra quelle che ti diamo. Segna con una X. Hai 8 muniti di tempo per rispondere.**

**1 Dove si svolge il dialogo numero 1?**

a) Alla stazione degli autobus. b) Alla stazione ferroviaria. c) Alla stazione della metropolitana.

**2 Dove si svolge il dialogo numero 2?**

a) In un ufficio comunale. b) In un ufficio della questura. c) In un ufficio postale.

**3 Dove si svolge il dialogo numero 3?**

a) All'ospedale. b) Da un dentista. c) In farmacia.

**4 Dove si svolge il dialogo numero 4?**

a) In palestra. b) In un ambulatorio medico. c) In piscina.

**5 Dove si svolge il dialogo numero 5?**

a) Da un meccanico. b) Da un rivenditore di automobili. c) In un garage dove lavora la signora Rossi.

## PROVA DI ASCOLTO - Quesiti Testo B

**Hai ascoltato cinque messaggi. Dì se le due affermazioni su ciascuno di essi sono Vere (V) o False (F). Scegli V o F e segnala con una X. Hai 8 minuti di tempo.**

**1** a) Hanno trovato una borsa rossa. V F
b) Hanno trovato una borsa in un negozio di frutta e verdura. V F

**2** a) Il 18 novembre ci sarà uno sciopero generale. V F
b) Il 18 novembre alcuni treni forse non ci saranno. V F

**3** a) Joo dà a Yong alcune informazioni sull'Ospedale Maggiore. V F
b) In Piazza Adua c'è la fermata dell'autobus 14. V F

**4** a) Clori domani non può andare al cinema con Céline. V F
b) Clori domani deve preparare la cena per un amico. V F

**5** a) Ai supermercati MF ci sono sempre tanti prodotti sottocosto. V F
b) I supermercati MF dàl 1 giugno sono aperti anche la domenica. V F

## PROVA DI LETTURA - Parte A

**Leggi il testo di questa lettera e dopo rispondi alle domande. Scegli la risposta giusta tra quelle che ti diamo. Segna con una X.**

Firenze, 20 agosto 2012

Cara Fati,
come stai? Come ti trovi a Dakar, dopo tanti anni passati a Firenze? Hassad che lingua parla adesso? Come comunica con i nonni e tutti gli zii della tua grande famiglia? Sta imparando un po' di senegalese?

Io sto bene e anche i bambini. Carlo chiede sempre quando tornate, perché sente molto la mancanza del suo amico Hassad.

Qui è un'estate caldissima, in alcuni giorni la temperatura è stata quasi di 40° e non piove da più di tre mesi. La siccità comincia a preoccupare seriamente.

Durante il giorno fa troppo caldo per uscire e così vado con i bambini al parco la sera, verso le sette. Rientriamo a casa verso le nove e ceniamo tardi, verso le nove e mezzo. Per fortuna non devo cucinare. Mio marito è a lavorare all'estero e io e i bambini mangiamo sempre qualcosa di freddo. A Luca e a Carlo piacciono molto i pomodori e spesso preparo delle insalate con pomodori e tonno, oppure con pomodori e mozzarella.

Scrivi presto e raccontami quello che fai. Ti abbraccio

Daniela

**1 Chi è Hassad?**

a) Il nipote di Fati. b) Il fratello di Carlo. c) Il figlio di Fati.

**2 Fati...**

a) ...viveva a Firenze, ma è andata per sempre a vivere a Dakar.
b) ...viveva a Firenze, è andata a Dakar, ma tornerà a Firenze.
c) ...vive a Dakar da tanti anni, ma presto andrà a vivere a Firenze.

**3 Quanti figli ha Daniela?**

a) Uno. b) Più di uno. c) Non si può sapere.

**4 Di che cosa parla Daniela nella sua lettera?**

a) Del tempo e delle sue giornate.
b) Del tempo e del suo lavoro.
c) Del caldo e dei suoi problemi di salute.

**5 Dove è il marito di Daniela?**

a) In viaggio all'estero. b) All'estero per lavoro. c) Daniela non ha un marito.

## PROVA DI LETTURA - Parte B

**Leggi il testo di questo annuncio di offerta di lavoro. Dopo dì se le affermazioni sotto sono Vere (V) o False (F). Scegli V o F e segnala con una X.**

Gazzetta di Genova, 3 febbraio 2013

0041

AZIENDA – Doria Mare S.p.A.

Genova, Via di Porta Nuova 132

Ricerchiamo SEGRETARIO/A commerciale da inserire presso i nostri cantieri navali di Sestri Levante. La persona che sarà scelta dovrà occuparsi dei clienti e organizzare viaggi e incontri di lavoro per i nostri manager.

È richiesto un titolo di studio di scuola secondaria superiore e una buona conoscenza dell'inglese e di almeno un'altra lingua straniera. Si richiede inoltre una buona attitudine comunicativa e disponibilità a frequenti spostamenti.

La persona scelta sarà assunta dall'azienda a partire dal 1 maggio 2013, con contratto a tempo determinato.

Alla persona scelta, prima della firma del contratto, verranno date tutte le informazioni dettagliate sull'orario, lo stipendio mensile, le ferie e i regolamenti interni.

Inviare il proprio Curriculum alla sede centrale di Genova, via fax o posta elettronica.

fax: 010 2222222

e-mail: risorseumane@DM.it

| | | |
|---|---|---|
| **1** Il lavoratore che cerca l'azienda Doria Mare può essere uomo o donna. | V | F |
| **2** L'azienda cerca un manager. | V | F |
| **3** La persona scelta lavorerà con i clienti. | V | F |
| **4** La persona scelta non lavorerà a Genova. | V | F |
| **5** L'azienda vuole una persona che conosce bene tre lingue straniere. | V | F |
| **6** L'azienda vuole una persona disponibile a viaggiare spesso. | V | F |
| **7** La persona scelta avrà un contratto a tempo indeterminato. | V | F |
| **8** L'annuncio non dà informazioni sullo stipendio. | V | F |
| **9** L'annuncio dà informazioni sull'orario di lavoro. | V | F |
| **10** Per partecipare alla selezione bisogna telefonare. | V | F |

## PROVA DI SCRITTURA

**Leggi il messaggio di posta elettronica che Pietro ha inviato a Ugo e scrivi la risposta di Ugo. Dai tutte le informazioni che Pietro chiede.**

**Da:**
**A:** ugo@blabla.it
**Cc:**

**Oggetto:** un piacere

Ciao Ugo,

mi sono ricordato che Moar e Yacouba ci hanno invitati la settimana prossima alla festa africana. Ma mi dici, per piacere, qual è il giorno?

Hanno detto che dobbiamo portare qualcosa da mangiare o da bere.
Tu cosa porti? Io non conosco i loro gusti e non so cosa portare.
Mi dai un consiglio?

La mia macchina ha un guasto e devo portarla dal meccanico.
Mi potresti dare un passaggio per andare alla festa?

Grazie di tutto, a presto

Pietro

**Da:**
**A:**
**Cc:**

**Oggetto:**

____________________

________________________________________

________________________________________

________________________________________

________________________________________

________________________________________

________________________________________

________________________________________

____________________

____________

# CHIAVI DEGLI ESERCIZI

## Unità 1

### 1 - COMPLETA

Mariasol; Fernandez; 47 anni; italiana

### 2 - COMPLETA

Verona, via Colombo; F; due; cuoca

### 3 - COMPLETA

1 - marocchino/a; 2 - indiani/e; 3 - brasiliana; 4 - kosovaro/a; 5 - cinese; 6 - argentino; 7 - albanesi

### 5 - COMPLETA

bambino; azzurri; capelli; padre; sei

### 6 - COLLEGA

1/c; 2/a; 3/d; 4/b; 5/f; 6/e

### 7 - COMPLETA

tre; Maria; Riccardo; Elena; Stefania; ha; fratelli; Luca

### 8 - COMPLETA

1 - suoi; 2 - suo; 3 - mio; 4 - loro; 5 - tuo; 6 - mia; 7 - sua

### 9 - CAMBIA

i miei libri; i tuoi fratelli; le sue figlie; i nostri zii; i loro insegnanti

### 10 - TRASFORMA

a - quarantuno/41; b - venticinque/25; c - diciotto/18; d - trentatré/33; e - cinquantotto/58; f - ventitré/23; g - quindici/15; h - dodici/12; i - ottantotto/88; l - novantuno/91; m - quarantotto/48; n - sedici/16

## Unità 2

### 1 - COMPLETA

mi chiamo; muratore; lavoro; cantiere; vengo; sono

### 2 - COLLEGA

1/c; 2/d; 3/e; 4/a; 5/b; 6/f

### 3 - ORDINA E RISCRIVI

1 - Faccio le ferie nel mese di agosto. 2 - Lavoro ogni giorno dalle otto alle sedici. 3 - L'autunno è la mia stagione preferita. 4 - In primavera vado a lavorare in bicicletta. 5 - A Milano l'inverno è molto freddo.

### 4 - SCEGLI

1/b; 2/a; 3/b; 4/a

### 5 - TRASFORMA

1 - Io non lavoro. 2 - Zara non telefona. 3 - Oggi non piove. 4 - Io non posso neanche riposare. 5 - Zara non vuole neanche telefonare. 6 - Lin Pu non deve neanche parlare. 7 - Tu non hai mai tempo. 8 - Franz non è mai puntuale. 9 - Ahmed non porta mai l'orologio.

### 6 - CONIUGA

1 - posso; 2 - vuole; 3 - deve; 4 - vogliamo; 5 - puoi; 6 - potete

### 7 - SCEGLI

1/a; 2/c; 3/b

### 8 - CONIUGA

cerca; lavora; ha; è; È; è; deve; chiede; posso; posso; è; può; sei

### 9 - COMPLETA

oggi; busta paga; stipendio; straordinari

### 10 - VERO O FALSO?

1/F; 2/F; 3/V; 4/F; 5/V

## Unità 3

### 1 - VERO O FALSO?

1/F; 2/V; 3/F; 4/F; 5/V; 6/F; 7/V

### 2 - COMPLETA

1/la; 2/l'; 3/i; 4/l'; 5/le

### 3 - COMPLETA

IL: ticket, dottore, lettino, sangue. LO: psicologo, sportello, stomaco, studio. LA: ricetta, malattia, medicina, radiografia. L': ambulatorio, infermiera, ospedale, ostetrica.

### 4 - COMPLETA

1 - testa; 2 - gola; 3 - denti; 4 - schiena; 5 - stomaco; 6 - pancia; 7 - orecchi; 8 - pancia; 9 - testa; 10 - gola

### 5 - COMPLETA

dal; avuto; scorsa; farmacia; cura

### 6 - RISPONDI

1 - È caduto dalla scala. 2 - Perché la sua caviglia è fratturata. 3 - Per venti giorni.

## Unità 4

### 1 - Scegli
È l'annuncio C.

### 2 - Vero o falso?
1/V; 2/F; 3/F

### 3 - Completa
1 - direi; 2 - dovremmo; 3 - vorrei; 4 - avrei; 5 - vorrebbero; 6 - vorremmo

### 4 - Coniuga
1 - potrebbe; 2 - sapresti; 3 - dovrei; 4 - compreresti; 5 - avremmo; 6 - andrei; 7 - verreste; 8 - faresti

### 5 - Vero o falso?
1/F; 2/F; 3/V; 4/V; 5/V

### 6 - Collega
1/b; 2/e; 3/d; 4/a; 5/f; 6/c

### 7 - Completa
1 - idraulico; 2 - elettricista; 3 - scaldabagno; 4 - poltrone; 5 - verde; 6 - contatore

### 8 - Completa
un; un; un; una; un; una; un; una; un; un

### 9 - Sostituisci
1 - una; 2 - un; 3 - uno; 4 - un; 5 - un'; 6 - un

## Unità 5

### 1 - Scegli
1/b; 2/a

### 2 - Ordina e riscrivi
1 - Scusi dov'è Via Roma? 2 - Posso andare con la macchina in Piazza Umberto? 3 - Si può raggiungere la stazione da Corso Garibaldi? 4 - Mi sa dire dove si trova il cinema Marconi? 5 - Devo andare al Ponte Nuovo, mi può indicare la strada?

### 3 - Completa
1 - Via Roma, n. 10; 2 - Piazza Venezia, n. 13; 3 - n. 55 di Viale Europa; 4 - in Corso Buenos Aires, n. 122

### 4 - Completa
1 - aspetto; 2 - arrivato, ritardo; 3 - 24, Piazza; 4 - Garibaldi, 26; 5 - autobus, 10; 6 - biglietto, giornalaio

### 5 - Scegli
1/b; 2/c; 3/c; 4/a

### 6 - Completa
1 - autobus, biglietto; 2 - posto libero; 3 - campanello

### 7 - Completa la domanda
1 - Quando partiranno? 2 - Quale treno prenderai? 3 - Quando arriverai? 4 - John con chi verrà? 5 - Quanto tempo starai con noi? 6 - Dove scenderete? 7 - Nel 2015 quanti anni avrai? 8 - In quale hotel sarà Ingrid?

### 8 - Coniuga
1 - prenderà; 2 - partiranno; 3 - arriverete; 4 - avrò; 5 - sarai

### 9 - Completa
1 - prenderò; 2 - prenderai; 3 - prenderà; 4 - prenderemo; 5 - prenderete; 6 - prenderanno

### 10 - Collega
1/c; 2/d; 3/e; 4/f; 5/a; 6/b; 7/g; 8/i; 9/ l; 10/n; 11/h; 12/m

### 11 - Completa
1- 22; 2 -11,20; 3 - 20,15; 4 - 9,30; 5 - 12,55

### 12 - Collega
1/b; 2/a; 3/c; 4/e; 5/d

### 13 - Ordina e riscrivi
1 - Si affretti perché il treno sta per partire. 2 - C'è posto in questo scompartimento? 3 - La toilette è in fondo al corridoio. 4 - Tengo questo posto occupato per lei.

### 14 - Completa
1 - a destra, a sinistra; 2 - dietro; 3 - sotto; 4 - davanti; 5 - fuori; 6 - sopra

### 15 - Vero o falso?
1/F; 2/V; 3/F; 4/F; 5/V

### 16 - Trasforma
1 - Sto per uscire per andare al cinema. 2 - Stiamo per partire per un viaggio. 3 - Ivo e Sara stanno per venire da te. 4 - Amir sta per tornare a casa. 5 - Stai per prendere il treno. 6 - Sto per andare al supermercato.

## Unità 6

### 1 - Completa

una coda; un pacco; lettere raccomandate; il bollo; l'abbonamento; pazienza.

### 2 - Vero o falso?

1/V; 2/V; 3/F; 4/F; 5/F

### 3 - Coniuga

porta; accompagna; compera; Passa;prendi; spedisci; vai; paga; chiedi

### 4 - Trasforma

1 - abbiate; 2 - fate; 3 - venite; 4 - dite; 5 - guidate; 6 - date; 7 - bevete; 8 - siate (forti)

### 5 - Rispondi

1 - Sì, ti aspetto; 2 - No, non vi capisco; 3 - Sì, ti sento; 4 - No, non l'abbiamo vista; 5 - No, non li vedo; 6 -Sì, le invito; 7 - Sì, l'ho fatto; 8 - Sì, lo ascoltiamo; 9 - No, non la ricordo; 10 - Sì, li abbiamo studiati.

### 6 - Scegli

1/c; 2/a; 3/a; 4/c.

### 7 - Completa

1 - del; 2 - dell'; 3 - per; 4 - per, nel; 5 - con; 6 - del, fra

### 8 - Scegli

1/b; 2/c

## Unità 7

### 1 - Vero o falso?

1/V; 2/V; 3/F; 4/V

### 2 - Collega

1/f; 2/c; 3/b; 4/e; 5/d; 6/a

### 3 - Coniuga

1 - preferite; 2 - capisco; 3 - spedisci, spedisco; 4 - finisce; 5 - finiscono; 6 - preferisce; 7 - capisci; 8 - finiamo.

### 4 - Sostituisci

2, 2,50; 5, 25; 48, 54; 37, 132.

### 5 - Trasforma

1 - della vernice; 2 - del colore; 3 - della tempera; 4 - dello stucco; 5 - delle viti; 6 - dei chiodini; 7 - dei bulloni; 8 - del solvente

### 6 - Completa

1 - scatola; 2 - lattina; 3 - vasetto; 4 - scatolina; 5 - bottiglia; 6 - pacco

### 7 - Vero o falso?

1/F; 2/V; 3/F; 4/V

## Unità 8

### 1 - Sottolinea

antipasto; dolce; panino; toast; pizza; caffè; cappuccino; brioche; frutta; dolci; panini imbottiti

### 2 - Completa

1 - pasti; 2 - piatto, secondo; 3 - casa; 4 - pizza; 5 - bar, brioche; 6 - merenda

### 3 - Collega

1/b; 2/e; 3/a; 4/c; 5/d

### 4 - Completa

1 - mai; 2 - Stasera; 3 - fra; 4 - sempre; 5 - fa; 6 - Prima

### 5 - Ordina e riscrivi

1 - Hai mai mangiato la zuppa di lenticchie? 2 - A colazione bevo sempre una spremuta di arancia. 3 - La cucina italiana mi piace molto. 4 - Raramente andiamo a mangiare al ristorante. 5 - È divertente andare in pizzeria con gli amici.

### 6 - Completa

etto; salumiere; patate; fruttivendolo; panificio; pasticceria

### 7 - Sottolinea

mangiavamo; prendeva; tagliava; metteva; aggiungeva; si cuoceva; preparava; era; metteva; copriva; serviva; era

### 8 - Collega

1/c; 2/a; 3/d; 4/b; 5/f; 6/h; 7/e; 8/g

### 9 - Trasforma

1 - cento; 2 - duecento; 3 - trecentocinquanta; 4 - cinquecento; 5 - cinquanta; 6 - cento; 7 - seicento; 8 - ottocento

### 10 - Completa

1 - pago; 2 - fa; 3 - ordini; 4 - prendiamo; 5 - è

## Unità 9

### 1 - Completa

fratelli; compiti; cartoni animati; documentario; d'accordo; puniti

### 2 - Completa

siano; squadre; abbiano; stadi; scommettono; sia

### 3 - Coniuga

1 - fosse; 2 - fosse; 3 - aveste; 4 - avesse; 5 - avessi; 6 - foste

### 4 - Sostituisci

1 - mi; 2 - Ti; 3 - gli; 4 - Le; 5 - ci; 6 - loro; 7 - Mi

### 5 - Collega

1/ f; 2/c; 3/g; 4/e; 5/d; 6/b; 7/a

### 6 - Sostituisci

1 - Ti; 2 - Gli; 3 - Le; 4 - Mi; 5 - Ti; 6 - Mi; 7 - gli

### 7 - Completa

computer; potente; ufficio; posta; stampante

### 8 - Completa

Le; Gliela; mi; Le; me lo; la; Mi

## Unità 10

### 1 - Coniuga

1 - Mi sveglio, ti svegli, si sveglia, ci svegliamo, vi svegliate, si svegliano. 2 - Mi lavo, ti lavi, si lava, ci laviamo, vi lavate, si lavano. 3 - Mi vesto, ti vesti, si veste, ci vestiamo, vi vestite, si vestono.

### 2 - Trasforma

1 - si vogliono divertire. 2 - non si deve arrabbiare. 3 - Ti devi riposare! 4 - Vi potete fermare? 5 - Non mi vorrei stancare. 6 - Ci possiamo fermare.

### 3 - Scegli

1/a; 2/b, 3/b

### 4 - Coniuga

1 - mi dedico; 2 - si occupa; 3 - si divertono; 4 - impiega

### 5 - Sostituisci

1 - bellissimo, il più bello; 2 - buonissima, la più buona; 3 - comodissime, le più comode; 4 - elegantissimo, il più elegante; 5 - gentilissima, il più gentile / la più gentile

### 6 - Trasforma

1 - Voi siete stati meno fortunati di noi. 2 - Tu sei meno alto di me. 3 - Io sono meno vecchio di Omar. 4 - Joan sarà meno felice di Sika. 5 - Tatiana era meno gentile di Lidija. 6 - Tu sei meno elegante di tua sorella.

### 7 - Rispondi

1 - È andata in Calabria. 2 - Si trovava a due passi dal mare. 3 - Leggeva giornali e libri. 4 - Faceva il bagno a mezzogiorno. 5 - Tornava in spiaggia verso le quattro.

### 8 - Sostituisci

1 - ottimi; 2 - maggiore; 3 - minore; 4 - pessimo; 5 - migliore; 6 - peggiore; 7 - minimo

### 9 - Sostituisci

1 - più vicino, molto vicino; 2 - più lontano, molto lontano; 3 - più lentamente, molto lentamente; 4 - più dolcemente, molto dolcemente; 5 - più diligentemente, molto diligentemente; 6 - più coraggiosamente, molto coraggiosamente

## Test di verifica

### Ascolto - Parte A

1/b; 2/c; 3/c; 4/b; 5/a

### Ascolto - Parte B

1a/V; 1b/F; 2a/F; 2b/V; 3a/F; 3b/F; 4a/V; 4b/V; 5a/F; 5b/V

### Lettura - Parte A

1/c; 2/b; 3/b; 4/a; 5/b

### Lettura - Parte B

1/V; 2/F; 3/V; 4/V; 5/F; 6/V; 7/F; 8/V; 9/F; 10/F